Stella Frank

- 12/27/41

LES RAVAGEURS

JEAN-HENRI FABRE

LES RAVAGEURS

PAR

JEAN-HENRI FABRE

EDITED BY
EDWARD MANLEY
ENGLEWOOD HIGH SCHOOL, CHICAGO

BENJ. H. SANBORN & CO.
CHICAGO NEW YORK BOSTON
1924

Copyright, 1923
By BENJ. H. SANBORN & CO.

Norwood Press
J. S. Cushing Co. — Berwick & Smith Co.
Norwood, Mass., U.S.A.

TO

JAMES E. ARMSTRONG

PIONEER IN THE TEACHING OF SCIENCE

PREFACE

MOST of the French literature available for reading in classes is in the form of comedies or love stories. There are perfectly obvious reasons why it is desirable to vary this diet and give classes French to read which shows other sides of the national genius. These reasons furnish sufficient justification for this book.

Fabre's *Les Ravageurs* has qualities which make it good reading for classes rather early in their course — at least as early as the second year. It is decidedly easier than the usually read novels and plays. The French is simple in its structure and popular in its style, the vocabulary is small and words are repeated. There is only the smallest possible body of technical terms, as Fabre wrote this book for readers not versed in the subject which he presents.

In *Les Ravageurs* Fabre gives us some insight into entomology. The subject-matter which he presents is interesting and valuable, and its value is not for a day but for all time. Whether we like the study of insects or not, it is our duty, and may be our pleasure, to inform ourselves about them.

In this book the usual notes and vocabulary have been added. Fortunately, there has been but little occasion for notes. Fabre's French is good material on which to base easy, practical exercises. For those who are too busy to prepare their own, a series of such exercises has been provided at the end of the book.

It may not be out of place to inform the reader that this edition of *Les Ravageurs* is published with consent and approval of Fabre's publishers in Paris, and on their own terms.

CONTENTS

	PAGE
DEDICATION	v
PREFACE	vii
JEAN-HENRI FABRE	xi
THE INSECTS' HOMER *Maurice Maeterlinck*	xv

LES RAVAGEURS

CHAPTER		
I.	LE LILAS CASSÉ	1
II.	LA CHENILLE	4
III.	LE PAPILLON	8
IV.	LES LARVES	13
V.	LES GRANDS MANGEURS	16
VI.	L'INSTINCT	20
VII.	LE COCON	25
VIII.	LA CHRYSALIDE	30
IX.	LE COSSUS	33
X.	LES COLÉOPTÈRES	38
XI.	LES SCOLYTES	42
XII.	LE GRENIER	47
XIII.	LE CHARANÇON DU BLÉ	50
XIV.	LE SULFURE DE CARBONE	54
XV.	L'ALUCITE ET LA TEIGNE DES CÉRÉALES	59
XVI.	LES TEIGNES	63
XVII.	LE HANNETON	67

CONTENTS

CHAPTER		PAGE
XVIII.	LE HANNETON (*suite*)	72
XIX.	LE RHYNCHITE ET L'EUMOLPE DE LA VIGNE	76
XX.	LA CLASSIFICATION	81
XXI.	LE COUPE-BOURGEONS	87
XXII.	LES PUCERONS	91
XXIII.	LES PUCERONS (*suite*)	95
XXIV.	LA COURTILIÈRE	98

NOTES	103
QUESTIONS BASED ON THE TEXT	115
EXERCISES	128
IRREGULAR VERBS USED IN THIS BOOK	143
VOCABULARY	155

JEAN-HENRI FABRE

JEAN-HENRI FABRE was born in 1823. He is popularly known as a scientist or naturalist. Properly he was an entomologist. In his earlier years he was interested in all branches of science. At the age of thirty he turned to entomology, devoting to the study of insects all the time he could. From that time on he worked exclusively in this field, with unparalleled enthusiasm and persistence. The results of his labors and investigations are printed in eleven large volumes under the forbidding title of *Souvenirs Entomologiques*. He published in all about eighty books on scientific and related subjects. His life was spent almost entirely in southeastern France.

Fabre's ability was unusual. He could learn anything, he could do anything. Those who read his books are brought into contact with one of the most scholarly and accurate minds that ever graced the vast field of learning.

Fabre was a born teacher, a truly great scientist, a pioneer in entomology, and a master of French style. Poverty followed him all the days of his life. It was his misfortune not to be an advertiser. He died in 1915.

The following biographical sketch of Fabre by Marmaduke Langdale was published in London *Daily Mail* in 1912:

"The story of the old man's life is the story of ninety years of struggle and makeshift and perseverance. Scattered here and there through the ten volumes of the *Souvenirs Entomologiques* are sketches of autobiography in which with charming simplicity he tells us of his humble birth and home, his illiterate parents, the rough and ready Provençal school where he picked up reading and writing in the intervals of assisting the schoolmaster in his garden. Next came two years at the college of Rodez, where he paid for his education by singing in the church choir. Domestic calamity followed, and the boy had to leave his studies and set to work to help support the family. Later we find him at the normal school of Vaucluse, and eventually he himself becomes a schoolmaster, first at Ajaccio in Corsica, afterward at Avignon, in his native Provence; but is compelled to relinquish all hope of achieving a university professorship because, as a friend points out to him, 'the salary is inadequate to keep up the position.'

"Meanwhile the scientist in Fabre had begun to develop. He was barely five years old when he first tried to discover how the cicada produces its chirping sound, and all through his boyhood he was prying into Nature's secrets and observing the ways of insect and bird. A chance meeting at Ajaccio with Moquin-Tandon, the botanist, led to his throwing himself into natural history with heart and soul. 'Leave your mathematics,' said the savant, 'and get to the beast.' Fabre got to the beast and stuck to the beast; but it was the insect above all that attracted him, and through seventy years of poverty and drudgery he persevered, noting, observing, comparing the doings of the world of tiny things.

"He at length found time to publish the first two volumes of his famous *Souvenirs Entomologiques* and began to make his name as an entomologist of the highest order. His researches outside the beaten track called Darwin's attention to him. A correspondence was started between the two; and at the English scientist's request the young man undertook a number of experiments in order to discover the means by which birds and insects find their way home to the nest from a distance. It was some years before Fabre was able to complete his experiments; and by that time Charles Darwin was dead.

"At one time Fabre seemed within reach of a fortune or at least a competence. It was when he was professor at the Lycée at Avignon. He was already married, with a growing family. Money was more than ever necessary to him; and in order to make it he devoted himself to chemical research. One of the chief products of the Avignon district was the madder root, which was grown to supply the local dye works; and Fabre's predecessor had dabbled, not without success, in experiments for improving the process of extraction. Fabre continued the work in the modest laboratory; he was noticed by Victor Duruy, the minister of education; he refused financial assistance and had received [the decoration of] the Legion of Honor;

and he had arranged for building the factory to exploit his perfected process when the discovery of artificial alizaline put an end to all his hopes.

"In the course of time there came an increased demand for his books, and after moving from Avignon to Orange and from Orange to Sérignan he was able to realize the dream of his life — to possess a little house of his own surrounded by a garden and the adjoining bit of waste land, his *harmas*, where he could prosecute at leisure his researches on his beloved insects.

"His books include volumes on astronomy, botany, geology, on domestic animals, on animals beneficial to agriculture and on agricultural pests, in addition to the famous *Souvenirs Entomologiques*.

"Fabre is a true naturalist. His books are not dry biological treatises filled with what he himself calls 'barbarous technicalities and scientific names.' They are living documents crammed with quaint conceits and delicate touches of humor. The inside of an insect leaves him unmoved, but his whole life has been devoted to the observation of its habits, its instincts, and its methods of self-preservation. And he is more than a naturalist, he is a preëminent man of letters, or, to quote Maurice Maeterlinck, he is 'one of the most profound and inventive scholars and also one of the purest writers, and, I was going to add, one of the finest poets of the century that is just past.' His style is limpid and exquisite and charming, and every line that he has written radiates sincerity and kindness. He tilts with Darwin and the Theorists, but never fiercely or harshly; he is the first to make amends if ever he is guilty of an unconscious injustice, even to the dead; he loves man and he loves the animals; and above all he loves the wasp, the bee, the beetle, with a love that approaches that of Saint Francis of Assisi for 'his little brothers the birds.'"

THE INSECTS' HOMER
By Maurice Maeterlinck

(Extracts from an article in the *Forum* of September, 1910)

Fame is often forgetful, negligent, behindhand, or unjust; and the crowd scarcely knows the name of Jean-Henri Fabre, who is one of the most profound and inventive scholars and also one of the purest writers, and, I was going to add, one of the finest poets of the century that is just past.

Fabre, as some few people know, is the author of half a score of well-filled volumes in which, under the title of *Souvenirs Entomologiques*, he has set down the results of fifty years of observation, study, and experiment on the insects that seem to us the best-known and familiar: different species of wasps and wild bees, a few gnats, flies, beetles, and caterpillars; in a word, all those vague, unconscious, rudimentary, and almost nameless little lives which surround us.

We take up one of the bulky volumes and naturally expect to find first of all one of the very learned and dry lists of names, the fastidious and quaint specifications of those huge dusty graveyards of which all entomological treatises that we have read so far seem to consist. We open the book without zest and with no unreasonable expectations. Forthwith, from between the open leaves, there rises and unfolds itself almost without remission to the end of the 4000 pages the most extraordinary of tragic fairy-plays that it is possible for the imagination, not to create or conceive, but to admit and acclimatize within itself.

Fabre is indeed the revealer of this new world, for, strange as the admission may seem at a time when we think we know all that surrounds us, most of those insects minutely described in the vocabularies, learnedly classified and barbarously baptized, had hardly ever been observed in real life or questioned to the end in all the phases of their belief and deceptive appearances. He has devoted to surprising their little secrets fifty years of a solitary existence, misunderstood, poor, often very near penury, but illumined every day by the joy which a truth brings, which is the greatest of all human joys. Petty truths, you may say, those presented by the habits of a spider or a grasshopper. There are no petty truths nowadays; there is but one truth, whose mirror seems broken to our uncertain eyes, though its every fragment, whether reflecting the revolution of a planet or the flight of a bee, contains the supreme law.

To make of these long annals the generous and delightful masterpiece that they are and not the arid and monotonous register of little descriptions and insignificant acts that they threatened to be, required various and conflicting gifts. To the patience, the precision, the scientific minuteness, the protean and practical ingenuity, the energy of a Darwin in the face of the unknown, to the faculty of expressing what has to be expressed with order, certainty, and clearness, the venerable anchorite of Sérignan adds many of those qualities which cannot be acquired, certain of those innate good poetic virtues which cause his sure and supple prose, devoid of artificial ornament and yet adorned with simple and spontaneous charms, to take its place with the excellent and durable prose of the day — prose of the kind that has its own atmosphere, in which we breathe gratefully and tranquilly and which we find only around great works.

LES RAVAGEURS

I

LE LILAS CASSÉ

Pendant la nuit, il s'était levé un grand vent qui sifflait dans les trous des serrures et grondait dans le canal de la cheminée ; quelques volets battaient contre le mur. Jules s'éveilla. Il dormait cependant du calme sommeil du jeune âge, mais un fâcheux pressentiment vint peut-être en rêve lui traverser l'esprit. Jules écouta ; il entendit dans le jardin de l'oncle un bruit de feuillage froissé. « Ah ! mes pois de senteur, se disait-il à lui-même, mes pauvres pois de senteur, en quel état vous trouverai-je demain ! La ramée qui vous soutient sera couchée à terre. Ah ! mon pauvre petit jardin ! » Il lui fut impossible de se rendormir. Plus jeune que lui de quelques années, Émile n'entendit rien de ce qui se passait dehors. Laissons-le dormir jusqu'à ce qu'un rayon de soleil vienne caresser ses joues roses, et disons un mot des gens de la maison.

L'oncle Paul est bien dans le village celui de tous qui sait le mieux conduire un jardin. Quand le temps des cerises est venu, on s'arrête émerveillé devant sa rangée de cerisiers, dont les branches luisantes fléchissent sous la charge des fruits. Puis il y a des poires plus grosses que les deux poings, dont la chair sucrée se fond dans la bouche ; des pommes parfumées, colorées de rouge sur une moitié, de jaune sur l'autre ; des prunes enfarinées d'une fine poussière bleue et qui pour la douceur valent presque le miel ; des raisins blancs dont les grains à peau fine laissent voir le jour à travers ; des fraises qui vous embaument, des pêches exquises et même des noisettes, si savoureuses quand elles sont fraîches. Que de belles et bonnes choses il y a dans le jardin de l'oncle Paul ! Il est vrai, personne ne le conteste, que, de tout le village, c'est lui qui sait le mieux conduire un arbre à fruit. Il greffe, il taille mieux que pas un ; il connaît à fond ce qui peut nuire aux arbres et ne manque jamais d'y porter remède de tout son pouvoir. Aussi son jardin est-il cité comme modèle à deux lieues à la ronde. Il conduit avec le même succès ses blés, ses orges, ses luzernes, ses vignes, ses pommes de terre, car il est très entendu sur tout ce qui a rapport aux travaux des champs. Souvent on vient le consulter sur les choses de l'agriculture, parfois d'assez loin, et c'est toujours avec une parfaite bonté qu'il met son savoir au service des autres. En reconnaissance et pour l'honorer, les gens du village lui disent : maître Paul. Ce savoir, il le doit beaucoup à l'expérience, et beaucoup aux livres, qu'il a de tout temps aimés.

Ses deux neveux sont avec lui, Jules et Émile. Jules, l'aîné, lit couramment ; il écrit même sa page en fin, non sans se barbouiller les doigts d'encre et quelquefois aussi la figure ; tout cela par trop de précipitation, car il sait que, la page faite, il lui sera permis d'aller au jardin arroser le semis d'œillets. Pour prendre patience en disant la leçon, Émile caresse sa toupie dans la poche, sa belle toupie qui ne le quitte guère. Mon Dieu ! qu'il est pénible d'écrire sa page, de dire sa leçon quand on a une toupie qui ronfle, un semis d'œillets qui lève ! Mais aussi quel affreux malheur pour nous si, devenus grands, nous ne savions écrire ni lire !

Dans le jardin de l'oncle, Émile et Jules ont chacun leur petit carré, qu'ils cultivent comme bon leur semble. Jardiner est pour eux le plus grand des plaisirs. On dépote, on transplante, on émonde, on fait des semis qu'on n'a pas toujours la patience de laisser venir à bien. Depuis avant-hier, Émile a semé six haricots. Il les a déterrés déjà trois fois pour voir si les racines poussent. Ce n'est pas Jules qui aurait commis cette étourderie ; il sait trop bien que les graines doivent être laissées en paix dans la terre si l'on veut qu'elles germent.

L'oncle voit de bon œil ces délassements agricoles, les encourage même par le don de quelques fleurs, de quelques arbustes, persuadé qu'il est que ces jeux enfantins tourneront avec l'âge en occupations sérieuses. Or, parmi les arbustes donnés à Jules, il faut compter avant tout un magnifique lilas, dont les grappes s'épanouissaient depuis quelques jours. Hier l'arbuste embaumait l'air de ses parfums, les abeilles et les papillons lui faisaient fête : ce matin il gît tout de son long à terre, le feuillage flétri, les grappes de fleurs fanées. Les pressentiments du pauvre enfant ne se sont que trop réalisés. Le petit jardin a été bouleversé par le vent, la ramée des pois de senteur est dispersée, et, pour comble de malheur, le lilas est cassé. On pleurerait pour moins. Jules accourut vers l'oncle, les yeux gonflés de pleurs ; Émile le suivait, prenant part à sa peine.

II

LA CHENILLE

Le dégât fut raconté à l'oncle, qui, pour les consoler, leur promit un autre lilas tout aussi beau que le premier. Puis, réfléchissant un instant :

Ce n'est pas possible, fit-il, le vent n'a pas été assez fort pour casser un arbuste de cette grosseur ; quelque ravageur a commencé le mal, que le vent de cette nuit a achevé.

JULES. — Un ravageur, un ravageur ?... Mais il n'y a pas dans le village de méchant qui prenne plaisir à faire de la peine aux autres en venant de nuit saccager leur jardin.

PAUL. — Je le sais, mon enfant ; aucun ici ne se permettrait une aussi laide action. Le ravageur dont je parle doit être un ver, une chenille. Allons voir le lilas.

L'oncle avait rencontré juste. La tige de l'arbriseau était percée d'un trou rempli de bois mâché ; et de ce trou partait un conduit tortueux qui paraissait remonter bien haut, presque jusqu'aux branches. Sur tout le trajet de ce long canal, allant tantôt un peu d'ici, tantôt un peu de là, le bois était réduit en une sorte de sciure brune, de sorte que la tige ne tenait guère que par l'écorce.

Jules. — Cela ne m'étonne plus si le vent a cassé mon beau lilas ; voyez, la tige est toute creuse.

Paul. — Aussi l'arbuste n'aurait pas tardé à périr, même sans l'accident de cette nuit. A peine aurait-il eu le temps d'épanouir ses fleurs. Le coup de vent n'a fait qu'accélérer sa perte.

Émile. — Je vois bien le ravage, mais où est le ravageur ?

Paul. — Il est dans sa cachette, tout au fond du conduit.

Et, prenant sa grosse serpette, l'oncle Paul fendit la tige en deux. Un gros ver apparut à l'extrémité du canal bourré de grossiers tampons de sciure. Voilà le coupable, fit l'oncle, et il secoua la tige. Le ver tomba à terre.

Émile. — Fi ! l'affreuse bête, qui tue les lilas !

Émile levait déjà le pied pour écraser la chenille, quand l'oncle l'arrêta.

Paul. — Attendez, mon petit ami. Je vous ai promis un autre lilas. Si vous désirez le conserver longtemps, ne convient-il pas de connaître la chenille qui pourrait un jour ou l'autre le faire périr comme le premier ? ne convient-il pas de savoir l'histoire du détestable ver pour lui faire avantageusement la guerre et débarrasser le jardin de cette engeance ?

Chacun fut de l'avis judicieux de l'oncle. Au lieu d'écraser niaisement la bête, il valait bien mieux l'examiner d'abord pour savoir comment elle est faite, comment elle vit, et comment elle s'introduit dans le bois. On pourrait ainsi plus tard prévenir ou arrêter ses dégâts. Un ennemi dont on connaît les moyens d'action est à demi vaincu. Paul prit donc la chenille et la mit dans le creux de sa main. Les enfants paraissaient étonnés du sans-façon avec lequel l'oncle maniait l'affreuse chenille.

Jules. — Elle vous mordra, mon oncle.

Émile. — Sans compter qu'elle vous jettera du venin.

Paul. — Vous venez l'un et l'autre de dire une sottise. Mettez-vous bien dans l'esprit qu'aucune chenille n'a du venin. On peut les manier toutes sans le moindre inconvénient. J'en excepte quelques-unes hérissées de poils piquants, et encore tout ce qui peut arriver de pire c'est une démangeaison produite par les poils aigus. Quant à me mordre, la pauvre bête est bien loin d'y songer. D'ailleurs que pourrait-elle me faire ? Me pincer un peu la peau, comme le feraient, du bout des ongles, les petits doigts d'Émile. La belle affaire.

Jules. — Cependant on dit que les chenilles font venir du mal quand on les touche.

Paul. — On le dit, il est vrai, mais sans raison aucune. Les neveux de l'oncle Paul ne doivent pas avoir de ces ridicules appréhensions et redouter une chenille inoffensive.

Rassurés par les paroles de l'oncle, Émile et Jules passèrent et repassèrent le doigt sur le dos de la bête. En outre, l'histoire affirme en toute sincérité qu'ils ont depuis manié bien des chenilles pour les examiner de près, et qu'au grand jamais le moindre désagrément n'est résulté de ce contact.

PAUL. — Maintenant que vous voilà rassurés, prenons le signalement de la bête. La chenille est de la grosseur d'une forte plume. Sa couleur est d'un jaune pâle, excepté sur la tête et les pattes, qui sont d'un noir luisant. Au premier coup d'œil, on la reconnaît aux petites verrues noires hérissées chacune d'un poil et régulièrement disposées sur toute la surface du dos.

JULES. — Ce signalement n'est pas difficile, je le retiendrai ; et si jamais je rencontre la maudite bête courant à terre, je vous réponds qu'elle n'aura plus envie de ronger les lilas.

PAUL. — Vous oubliez, mon petit ami, que ces chenilles ne courent point à terre, qu'elles se tiennent dans l'intérieur du bois, à l'abri de nos regards.

JULES. — C'est juste. Et alors ?

PAUL. — Alors, il faut connaître toute leur histoire pour savoir l'époque propice de leur faire la chasse. Je vous apprendrai d'abord que toute chenille devient papillon. Celle que j'ai là, dans la main, serait devenue un magnifique papillon blanc, tigré de taches bleues, si elle était restée quelques mois encore dans la tige du lilas.

ÉMILE. — Oncle Paul, je vous en prie, remettez la bête dans le bois sans lui faire du mal ; comme cela nous verrons tous le beau papillon.

PAUL. — Ce serait imprudence, nos arbres pourraient en souffrir. Nous la déposerons provisoirement dans un verre, car je veux vous montrer sa structure avec plus de détail. Quant au papillon, je l'ai dans ma boîte à insectes ; vous le verrez demain.

III

LE PAPILLON

Le lendemain, Émile et Jules étaient en admiration devant les papillons qui voletaient sur les fleurs du jardin. Oh! qu'ils sont beaux! se disaient-ils; oh! mon Dieu! qu'ils sont beaux! Il y en a dont les ailes sont barrées de rouge sur un fond grenat; il y en a d'un bleu vif avec des ronds noirs; d'autres sont d'un jaune de soufre avec des taches orangées; d'autres sont blancs et frangés d'aurore. Ils ont sur le front deux fines cornes, deux antennes, tantôt effilées en aigrette, tantôt découpées en panache. Ils ont sous la tête une trompe, un suçoir aussi mince qu'un cheveu et roulé en spirale. Quand ils s'approchent d'une fleur, ils déroulent la trompe et la plongent au fond de la corolle pour y boire une goutte de liqueur mielleuse. Oh! qu'ils sont beaux! Oh! mon Dieu! qu'ils sont beaux! Mais si l'on vient à les toucher, leurs ailes se flétrissent et laissent entre les doigts comme une fine poussière de métaux précieux.

L'oncle vint. — Celui-ci, disait-il, dont les ailes sont blanches avec une bordure et trois taches noires, s'appelle la piéride du chou. Cet autre plus grand, dont les ailes jaunes et barrées de noir se terminent par une longue queue à la base de laquelle se trouvent un grand œil couleur de rouille et des taches bleues, se nomme le machaon. Ce tout petit, d'un bleu de ciel en dessus, d'un gris argenté en dessous, parsemé de taches noires cerclées de blanc, avec une rangée de points rougeâtres bordant les ailes, s'appelle l'argus.

Et l'oncle continua ainsi le dénombrement des papillons qu'un beau soleil avait attirés sur les fleurs.

JULES. — Et le papillon de notre chenille ?

PAUL. — Je vais le chercher.

L'oncle revint bientôt. Il apportait une grande boîte en carton dans laquelle étaient fixés avec des épingles, sur un fond de liège, des papillons et des scarabées de toutes sortes. Il y avait là les insectes qui font du tort aux récoltes, aux fruits, aux plantations. L'oncle les avait peu à peu recueillis, pour sa propre instruction et pour celle des autres. Il sortit de la boîte le papillon que voici.

PAUL. — La chenille du lilas de Jules serait devenue ce papillon superbe, qu'on nomme *Zeuzère du marronnier*. Les ailes sont d'un beau blanc avec de nombreuses taches d'un bleu foncé presque noir ; le corps est également d'un blanc soyeux ; six gros points bleus sont rangés en deux lignes sur le dos à la naissance des ailes. La femelle diffère du mâle par une taille moitié plus grande et par un long conduit jaunâtre et pointu qui termine le ventre et sert à introduire les œufs dans les fines rides de l'écorce des arbres.

ÉMILE. — Et ce papillon provient de cette laide chenille ?

PAUL. — Oui, mon enfant. Tout papillon, avant d'être la gracieuse créature qui vole de fleur en fleur avec de magnifiques ailes, est une misérable chenille, qui rampe péniblement. Ainsi la zeuzère, avec ses ailes de satin blanc tigré de bleu, provient d'une chenille pareille à celle que nous avons prise dans le lilas de Jules ; ainsi la piéride, que vous voyez voler dans le jardin, est d'abord une chenille verte, qui se tient sur les choux et en ronge les feuilles. Jacques vous dira toute la peine qu'il prend pour garantir de la vorace bête sa plantation de choux, car, voyez-vous, elles ont un terrible appétit, les chenilles. Vous en saurez bientôt le motif.

La plupart des insectes se comportent comme les papillons. Au sortir de l'œuf, ils ont une forme provisoire qu'ils doivent remplacer plus tard par une autre. Ils naissent en quelque sorte deux fois : d'abord imparfaits, lourds, voraces, laids ; puis parfaits, agiles, sobres, et souvent d'une richesse, d'une élégance admirables. Sous sa première forme, l'insecte est un ver que l'on désigne par le nom général de *larve*. Retenez bien ce mot, qui reviendra souvent.

Vous connaissez la jardinière, ce bel insecte d'un vert doré que vous voyez si souvent vagabonder dans le jardin. Avant d'avoir sa riche cuirasse plus brillante que le bronze poli, la jardinière était une fort laide bestiole, toute noire, vivant dans la terre. Vous connaissez la jolie petite bête du bon Dieu, d'un rouge vif avec sept points noirs. Elle a été d'abord un ver fort laid, une larve couleur d'ardoise, hérissée de piquants. Le hanneton, le bonasse hanneton, qui, la patte retenue par un fil, gonfle gauchement ses ailes, compte ses écus et part au chant de : « Vole, vole ! » est d'abord un ver blanc, une larve dodue, grasse à lard, qui vit sous terre, s'attaque aux racines des plantes et ravage nos cultures. Le grand cerf-volant, dont la tête est armée de pinces menaçantes, semblables pour la forme aux cornes du cerf, est au début un gros ver qui vit dans les vieux troncs d'arbre. Il en est de même du capricorne, si curieux par ses longues antennes. Et le ver que l'on trouve dans les cerises trop mûres, que devient-il, lui si répugnant? Il devient une belle mouche dont les ailes sont parées de quatre bandes de velours noir. Ainsi des autres.

Eh bien, ce premier état de l'insecte, ce ver, forme provisoire du jeune âge, s'appelle du nom de larve. Le merveilleux changement qui transfigure la larve en insecte parfait se nomme métamorphose. Les chenilles sont des larves. Par la métamorphose, elles deviennent ces magnifiques papillons dont les ailes parées des plus riches couleurs nous ravissent d'admiration. L'argus, si beau maintenant avec ses ailes d'un bleu céleste, était d'abord une pauvre chenille velue; le splendide machaon a débuté par être une chenille verte rayée de noir en travers, avec des points roux sur les flancs; l'élégante zeuzère, si bien parée que les jardiniers la nomment la *coquette*, est en débutant la misérable chenille que vous savez. De cette abjecte vermine, la métamorphose fait les papillons, ces délicieuses créatures avec lesquelles les fleurs peuvent seules rivaliser d'élégance.

Vous savez tous le conte de Cendrillon. Ses sœurs sont parties pour le bal, bien fières, bien pimpantes. Cendrillon, le cœur gros, surveille la marmite. Arrive la marraine. « Va, dit-elle, au jardin quérir une citrouille. » Et voilà que la citrouille évidée se change, sous la baguette de la fée marraine, en un carrosse doré. « Cendrillon, fait-elle encore, lève la trappe de la souricière. » Six souris s'en échappent, aussitôt touchées de la magique baguette, aussitôt métamorphosées en six chevaux d'un beau gris pommelé. Un rat devient un gros cocher doué d'une triomphante moustache. Six lézards qui dormaient derrière l'arrosoir deviennent des laquais qui montent aussitôt derrière le carrosse. Enfin les méchantes nippes de la pauvre fille sont changées en habits de drap d'or et d'argent semés de pierreries. Cendrillon part pour le bal, chaussée de pantoufles de verre. Mieux que moi, vous savez apparemment le reste.

Ces puissantes marraines pour qui c'était un jeu de changer des souris en chevaux, des lézards en laquais, de laides nippes en habits somptueux, ces gracieuses fées qui vous émerveillent de leurs fabuleux prodiges que sont-elles, mes chers enfants, en comparaison de la réalité, la grande fée du bon Dieu, qui, d'un ver impur, objet de dégoût, sait faire une ravissante créature ! Elle touche de sa divine baguette une misérable chenille et le miracle est fait : la dégoûtante larve est devenue un scarabée tout reluisant d'or, un papillon dont les ailes d'azur auraient fait pâlir la toilette princière de Cendrillon.

IV

LES LARVES

Paul. — Les insectes se propagent par des œufs, qu'ils pondent, avec une admirable prévoyance, en des lieux où les jeunes soient assurés de trouver de la nourriture.

Jules. — La zeuzère, où dépose-t-elle les siens?

Paul. — Sur divers arbres dont le bois convienne à l'appétit des larves futures, sur le lilas, le poirier, le pommier, l'orme, le marronnier, et sans doute bien d'autres. Le papillon se pose sur l'écorce, où il reste immobile, puis, avec le conduit long et pointu qui lui termine le ventre, il introduit un à un ses œufs dans les fines crevasses de l'arbre. C'est en juillet que la ponte a lieu. Il convient à cette époque de faire l'inspection du jardin, de visiter un à un les arbres fruitiers, pour surprendre le papillon appliqué sur les écorces, le faire périr avant la ponte et se délivrer ainsi des ravageurs futurs. Il n'est guère possible d'atteindre la chenille, qui s'est creusé un domicile dans la tige d'un arbre; mais on peut toujours, avec un peu de surveillance, atteindre le papillon, qui vit au dehors. La chasse est d'ailleurs plus efficace : en se débarrassant de la mère, on fait périr dans leur germe un cent de chenilles peut-être.

Émile. — Est-ce que le papillon ne prend pas la fuite quand on veut le saisir sur l'écorce d'un arbre? J'ai bien de la peine à prendre ceux qui volent dans le jardin. Lorsque j'en vois un posé sur une fleur, je m'approche doucement, bien doucement, j'avance la main, mais pst! le papillon s'en va.

Paul. — On prend la zeuzère sans difficulté ; la pauvre mère a le vol lourd, et puis elle est trop préoccupée du soin de ses œufs pour songer à prendre la fuite.

Jules. — Ah! si j'avais su ces choses, comme j'aurais fait bonne garde autour de mon lilas! Vienne le mois de juillet, et vous verrez.

Paul. — Chaque espèce d'insectes, vous disais-je, dépose ses œufs, avec une admirable prévoyance, en des lieux où les jeunes aient des vivres assurés. Le petit être qui sort de l'œuf est une larve, un débile vermisseau, qui, le plus souvent, doit seul se tirer d'affaire, se procurer à ses risques et périls le vivre et le couvert, chose difficile en ce monde. En ses pénibles débuts, il ne peut attendre aucune aide de sa mère, morte le plus souvent ; car, chez les insectes, les parents meurent en général avant l'éclosion des œufs d'où proviendront les fils.

Sans tarder, la petite larve se met au travail. Elle mange. C'est son unique affaire, affaire grave, d'où dépend l'avenir. Elle mange, non simplement pour soutenir ses forces au jour le jour, mais surtout pour acquérir l'embonpoint nécessité par la future métamorphose. Il faut vous dire, et ceci vous étonnera peut-être, que l'insecte ne grossit plus, une fois qu'il possède sa forme finale, sa forme parfaite. Aussi connaît-on des insectes, le papillon du ver à soie entre autres, qui ne prennent aucune nourriture.

Le chat est d'abord une mignonne créature à nez rose, si petite qu'elle tiendrait dans le creux de la main. En un mois ou deux, c'est un gentil minet, qui s'amuse d'un rien et, de sa patte leste, fouette la mèche de papier que l'on fait courir devant lui. Encore un an, et c'est un matou, qui guette patiemment les souris et se griffe sur les toits avec ses rivaux. Mais, mignonne créature entr'ouvrant à peine ses petits yeux bleus, gentil minet joueur, gros matou querelleur, le chat a toujours la forme de chat.

C'est tout autre chose pour les insectes. Le machaon, sous sa forme de papillon, n'est pas d'abord petit, puis moyen, puis grand. Lorsque, pour la première fois, il ouvre ses ailes et prend son vol, il possède toute la grosseur qu'il doit à jamais avoir. Quand il sort de dessous terre, où il vivait à l'état de larve, quand pour la première fois il apparaît au jour, le hanneton est tel que vous le connaissez. La zeuzère, au moment où elle quitte la demeure que la chenille s'était creusée dans le bois, a la grosseur de celle que je viens de vous montrer. Il y a de petits chats, mais il n'y a pas de petits machaons, de petites zeuzères, de petits hannetons. Après la métamorphose, l'insecte est tel qu'il doit rester jusqu'à la fin.

Émile. — J'ai pourtant vu de tout petits hannetons qui volent le soir autour des saules.

Paul. — Ces petits hannetons sont une espèce différente. Ils restent ce qu'ils sont. Jamais ils ne grossissent et ne deviennent le hanneton commun.

Seule, la larve grandit. D'abord toute petite au

sortir de l'œuf, elle acquiert peu à peu une grosseur en rapport avec l'insecte futur, ce qui nécessite souvent plusieurs années ; aussi la larve vit-elle bien plus longtemps que l'insecte parfait qui en provient. A l'état de chenille ou de larve, la zeuzère reste trois ans dans le bois qu'elle ronge ; à l'état de papillon, elle vit une semaine ou deux peut-être, tout juste le temps de pondre ses œufs.

Émile. — Et puis ?

Paul. — Et puis, elle meurt ; son rôle est fini. Trois années durant, trois longues années, elle reste sordide chenille, vivant de bois pourri, se gorgeant de matières coriaces, pour se transfigurer enfin en superbe papillon, boire le miel au fond des fleurs et jouir quinze jours des suprêmes fêtes de la vie.

Jules. — Le papillon ne fait donc aucun mal aux arbres ?

Paul. — Aucun. Il en est à peu près de même pour la plupart des insectes. Les dégâts qu'ils font à l'état parfait ne sont rien, ou sont fort peu de chose par rapport aux dégâts des larves, d'une vie plus longue et d'un vorace appétit.

V

LES GRANDS MANGEURS

Paul. — La larve mange gloutonnement pour amasser les matériaux que la métamorphose doit mettre en œuvre : matériaux pour les ailes, pour les antennes, pour les pattes et toutes ces choses que la larve n'a pas, mais que l'insecte doit avoir. Avec quoi le gros ver qui vit dans le bois mort et doit devenir un jour un cerf-volant, fera-t-il les énormes pinces branchues et la robuste cuirasse de l'insecte parfait? Avec quoi la larve fera-t-elle les longues antennes du capricorne? Avec quoi la chenille fera-t-elle les grandes ailes de la zeuzère? Avec ce que la chenille, la larve, le ver, amassent maintenant, avec leurs économies en substance vivante.

Si le petit chat au nez rose naissait sans oreilles, sans pattes, sans queue, sans fourrure, sans moustaches, s'il était simplement une petite boule de chair, et qu'il dût un jour acquérir en une fois, tout en dormant, oreilles, pattes, queue, fourrure, moustaches, et bien d'autres choses, n'est-il pas vrai que ce travail de la vie nécessiterait des matériaux amassés par avance et tenus en réserve dans les graisses de l'animal? Rien ne se fait avec rien ; le moindre poil de la moustache du chat pousse aux dépens de la substance de la bête, substance qui s'acquiert par l'alimentation.

La larve est précisément dans ce cas : elle n'a rien, ou à peu près, de ce que doit avoir l'insecte parfait. Elle doit donc amasser, en vue des changements futurs, des matériaux de rechange ; elle doit manger pour deux : pour elle d'abord, et puis pour l'insecte qui proviendra de sa substance transformée, remise au moule en quelque sorte. Aussi les larves sont-elles douées d'un incomparable appétit. Manger, vous ai-je dit, est leur unique affaire. Elles mangent de jour, de nuit, souvent sans discontinuer, sans reprendre haleine. Perdre une bouchée, quelle imprudence ! Le papillon futur aurait peut-être une écaille de moins à ses ailes. On mange donc gloutonnement, on prend du ventre, on se fait gros, gras, dodu. C'est le devoir des larves.

Les unes s'attaquent aux plantes ; elles broutent les feuilles, elles mâchent les fleurs, elles mordent la chair des fruits. D'autres ont un estomac assez robuste pour digérer le bois ; elles se creusent des galeries dans les troncs d'arbre, elles liment, elles râpent, elles mettent en poudre le chêne le plus dur, aussi bien que le saule tendre.

La larve du hanneton pullule parfois en tel nombre dans la terre, que des étendues immenses perdent leurs plantations, rongées par les racines. Les arbustes du forestier, la récolte de l'agriculteur, les plants du jardinier, au moment où tout prospère, un beau matin pendent flétris, frappés de mort. Le ver a passé par là, et tout est perdu. Le feu n'aurait pas fait de plus affreux ravages. — Bien des fois, une petite chenille de rien a mis nos vignobles en péril. — Des vermisseaux assez menus pour se loger dans un grain de blé ravagent le froment de nos greniers et ne laissent que le son. — D'autres broutent les luzernes, si bien qu'après eux le faucheur ne trouve rien. — D'autres, des années durant, rongent au cœur du bois le chêne, le peuplier, le pin et les divers grands arbres. D'autres, qui deviennent ces petits papillons blancs voltigeant le soir autour de la flamme des lampes et appelées *teignes*, tondent nos étoffes de drap, brin de laine par brin de laine, et finissent par les mettre en lambeaux. —

D'autres s'attaquent aux boiseries, aux vieux meubles, qu'ils réduisent en poussière. — D'autres . . . mais je n'en finirais pas, si je voulais tout dire. Ce petit peuple auquel on dédaigne souvent d'accorder un peu d'attention, ce petit peuple des insectes est si puissant par le robuste appétit de ses larves, que l'homme doit très sérieusement compter avec lui. Si tel vermisseau vient à pulluler outre mesure, des provinces entières sont menacées de la malemort de la faim. Et l'on nous laisse dans une parfaite ignorance au sujet de ces dévorants ! Comment se défendre si l'ennemi vous est inconnu ? Ah ! si cela me regardait ! Pour vous, mes chers enfants, retenez bien ceci : les larves des insectes sont les grands mangeurs de ce monde, car tout ou peu s'en faut leur passe par le ventre.

Jules. — Et la preuve, c'est que mon lilas y a passé. Ce doit être dur à manger cependant.

Paul. — J'en conviens, le bois est de digestion difficile, et si peu nutritif que la larve doit en manger beaucoup pour se sustenter ; mais la chenille du lilas possède un estomac fait exprès, s'accommodant fort bien de cette coriace nourriture ; en outre, elle a des mâchoires que ne rebute point la bouchée la plus dure. Que je **vous** montre tout cela en détail.

VI

L'INSTINCT

L'oncle prit la chenille qu'on avait déposée dans un verre.

Paul. — Examinez attentivement la bête. Sa peau est fine, si fine qu'un léger attouchement l'endolorit ; mais ici, sur la tête, en ce point qu'on appelle crâne, elle possède la dureté de la corne, pour former une calotte, une espèce de casque qui peut affronter impunément les âpretés du bois. La tête ouvre le chemin, elle est en conséquence défendue par une armure ; le reste du corps suit et n'a pas besoin de cette enveloppe de corne.

Émile. — Je comprends : la bête avance tandis que les pattes grattent et creusent.

Paul. — Non, mon ami : les pattes ne servent pas à creuser le bois. La chenille en a huit paires. Les trois premières paires, ou les plus rapprochées de la tête, ont une forme toute différente de celle des autres. Elles sont fines et pointues. Ce sont elles qui, par la métamorphose, deviennent les pattes du papillon, mais en s'allongeant beaucoup et en prenant une autre forme. Aussi les nomme-t-on les *pattes vraies*. Les quatres paires suivantes sont placées vers le milieu du corps, et la dernière paire est située tout à l'autre bout. Ces cinq paires portent le nom de *fausses pattes*, parce qu'elles disparaissent complètement quand la chenille est remplacée par le papillon. Elles sont courtes, larges et armées en dessous d'une foule de petits crochets avec lesquels la chenille se cramponne aux parois de son habitation. Les poils raides dont le corps est couvert servent pareillement à la progression, car la chenille circule dans son canal un peu à la manière des ramoneurs, qui s'aident des genoux et du dos pour monter dans une cheminée.

Jules. — Alors avec quoi la chenille creuse-t-elle le bois ?

Paul. — L'outil pour émietter le bois consiste en deux crocs noirâtres, l'un à droite, l'autre à gauche de la bouche, qui jouent et se rejoignent à la manière de tenailles. On les nomme *mandibules*. Ce sont deux mâchoires, ou mieux deux dents, qui, au lieu de se rapprocher comme les nôtres de bas en haut, se rapprochent en travers. Pour la précision de leurs mouvements les mandibules défieraient nos meilleures pinces; pour la dureté, elles sont presque comparables à des pointes d'acier. Elles saisissent le bois parcelle à parcelle, patiemment, sans se lasser ; elles tranchent, elles scient, elles arrachent brin à brin et percent de la sorte un couloir juste suffisant pour le passage de la chenille.

Jules. — Et les débris du bois, que deviennent-ils ? Il me semble qu'ils doivent empêcher l'animal d'avancer, puisque la galerie est si étroite.

Paul. — Ils passent par le corps de la bête, qui s'en nourrit. Quand la digestion en a extrait l'infiniment peu de matière nutritive qu'ils contiennent, ils sont rejetés en arrière. Et c'est bientôt fait, la digestion d'une chenille ; jugez donc : le bois est nourriture si maigre ! Aussi le ver avance toujours, dépeçant, rongeant, digérant. Il lui faut une forte branche de poirier, la tige d'un lilas, pour acquérir les graisses nécessaires à la future métamorphose.

L'abondance de la vermoulure rejetée en arrière du couloir trahit quelquefois les ravages de la chenille. Quand on voit sortir par un point de l'écorce, sur un poirier, un pommier ou autres arbres, un peu de cette vermoulure résidu de la digestion, l'ennemi est à l'œuvre, et sans hésiter il faut abattre la branche attaquée, pour prévenir des ravages plus grands. Si la chenille n'est pas trop loin, on peut encore introduire un fil de fer pointu dans l'ouverture et tâcher de tuer la bête dans son gîte. Mais comme la galerie est fort tortueuse, ce moyen est loin de réussir toujours.

Jules. — Ne pourrait-on introduire le fil de fer par une seconde ouverture ?

Paul. — Mais, mon petit ami, vous ne songez pas que la chenille a ses ruses et qu'elle se garde bien d'ouvrir d'ici et de là des fenêtres à son logis, ce qui faciliterait l'attaque de ses ennemis ; car elle en a, et beaucoup, outre l'homme. Qu'elle s'avisât, par exemple, de sortir un peu à l'air, histoire de prendre le frais, et un moineau l'apercevrait peut-être et l'emporterait pour donner la becquée à sa nichée sous les tuiles du toit. Tous ces dangers, elle les sait ou plutôt elle les devine vaguement, car toute créature, jusqu'au dernier des vers, est douée du savoir-faire que réclame sa propre conservation et surtout la conservation de sa race.

L'animal n'a pas la raison sans doute, cette haute prérogative de l'homme; mais il se conduit cependant comme s'il raisonnait ses intérêts avec une justesse devant laquelle qui réfléchit reste confondu. Un autre, en effet, a raisonné pour lui, c'est la Raison universelle, en qui tout vit, par qui tout vit; c'est Dieu, père des hommes, mais père aussi des lilas et des chenilles qui les rongent. L'animal sait donc sans avoir jamais appris, il est maître en son art sans avoir passé par les épreuves d'apprenti; du premier coup, sans expérience aucune, il fait admirablement ce qu'il est destiné à faire. Ce don de naissance, cette inspiration infaillible qui le guide dans son travail, s'appelle l'*instinct*.

A l'état de papillon, la zeuzère prend très peu de nourriture, tout au plus quelques gouttes de miel au fond des fleurs. Sa trompe si menue, si délicate, exige cette fine boisson. Maintenant qu'il n'a plus ses robustes mandibules, comment le papillon peut-il songer que le bois est chose mangeable? Garderait-il souvenir de ses appétits de chenille? Qui pourrait le dire? Et puis comment le papillon sait-il reconnaître les arbres dont le bois convient aux larves, lorsque nous-mêmes avons besoin d'une certaine éducation pour distinguer les espèces les plus communes? Lui, sans éducation préalable, ne confond pas un platane avec un poirier, un buis avec un lilas, un chêne avec un orme. Les œufs sont donc pondus sur l'arbre convenable, jamais ailleurs. Où l'homme pourrait se tromper, la bête, guidée par l'instinct, ne fait pas d'erreur.

La petite larve sort de l'œuf. Par expérience, que

sait-elle, la pauvrette, du dur métier qu'elle est destinée à faire? Rien, absolument rien. C'est égal, aussitôt née, elle attaque le bois et se creuse au plus vite une niche pour se mettre à l'abri. Le plus pressé est fait; maintenant à loisir elle ronge, elle avance, grignotant un peu d'ici, un peu de là, abandonnant un mauvais coin pour en choisir un meilleur. La galerie s'allonge, toujours plus grosse à mesure que l'animal grandit; tantôt elle monte, tantôt elle descend ou tourne par côté dans l'épaisseur entière de la branche. Tout le bois est attaqué indifféremment, sans économie, au hasard, car la larve est assurée de ne pas manquer de vivres. Une seule chose est scrupuleusement respectée : c'est l'écorce, qu'il ne faut pas trouer, crainte de trahir son gîte. Comment la larve, travaillant dans une obscurité absolue, sait-elle que le bout de la galerie va toucher à l'écorce et que le moment est venu de rebrousser chemin? Qui lui inspire la crainte de se montrer au dehors? qui lui conseille de se tenir prudemment au cœur du bois pour éviter le moineau malintentionné qu'elle n'a jamais vu? C'est l'instinct, la clairvoyante inspiration qui sauvegarde les créatures dans la lutte implacable de la vie.

VII

LE COCON

Paul. — Plus tôt ou plus tard, suivant l'espèce, un jour vient où la larve se sent assez forte pour courir les périls de la métamorphose. Elle a vaillamment fait son devoir, car se bourrer la panse est le devoir d'un ver ; elle a mangé pour deux, pour elle et pour l'insecte. Maintenant il convient de renoncer à la bombance, de se retirer du monde et de se préparer un abri tranquille pour le sommeil, semblable à celui de la mort, pendant lequel se fait la seconde naissance. Mille méthodes sont en œuvre pour la préparation de ce gîte.

Certaines larves s'enfouissent simplement dans la terre ; d'autres s'y creusent des niches rondes à parois polies. Il y en a qui se façonnent un abri avec des feuilles sèches ; il y en a qui savent agglutiner en boule creuse les grains de sable, le bois pourri, le terreau. Celles qui vivent dans les troncs d'arbre bouchent en arrière, avec un tampon de sciure de bois, la galerie qu'elles se sont creusée ; celles qui vivent dans le blé rongent toute la partie farineuse du grain et respectent l'enveloppe, le son, qui doit leur servir de berceau. D'autres, moins précautionnées, s'abritent dans quelque ride d'une écorce, d'un mur, et s'y fixent par un cordon. De ce nombre sont les chenilles de la piéride et du machaon. Mais c'est surtout dans la confection de la cellule de soie appelée cocon, que se montre la haute industrie des larves.

Une chenille d'un blanc cendré, de la grosseur du petit doigt, est élevée en grand pour son cocon, avec lequel se font les étoffes de soie. On l'appelle le ver à soie. Dans des chambres bien propres sont disposées des claies de roseaux, sur lesquelles on met de la feuille de mûrier et les jeunes chenilles provenant des œufs éclos en domesticité. Le mûrier est un grand arbre cultivé exprès pour nourrir les chenilles; il n'a de valeur que par ses feuilles, seule nourriture des vers à soie. On consacre à sa culture de grandes étendues, tant le travail du ver est chose précieuse. Les chenilles mangent la ration de feuilles, renouvelée fréquemment sur les claies, et changent à diverses reprises de peau à mesure qu'elles se font grandes. Leur appétit est tel, que le cliquetis des mandibules ressemble au bruit d'une averse tombant par un temps calme sur le feuillage des arbres. Il est vrai que la chambrée contient des milliers et des milliers de vers. En quatre à cinq semaines, la chenille acquiert tout son développement. On dispose alors sur les claies de la ramée de bruyère, où montent les vers à mesure que leur moment est venu de filer le cocon. Ils s'établissent un à un entre quelques menus rameaux, et fixent çà et là une multitude de fils très fins, de façon à former une espèce de réseau qui les maintient suspendus et doit leur servir d'échafaudage pour le grand travail du cocon.

Le fil de soie leur sort de la lèvre inférieure, par un trou appelé *filière*. Dans le corps de la chenille, la matière à soie est un liquide très épais, visqueux, semblable à de la gomme. En s'écoulant par l'orifice de la lèvre, ce liquide s'étire en fil, qui se colle aux fils précédents et durcit aussitôt. La matière à soie n'est pas contenue toute faite dans la feuille du mûrier que mange le ver, pas plus que le lait n'est contenu tel quel dans l'herbe que broute la vache. La chenille la fabrique avec les matériaux fournis par l'alimentation, comme la vache fabrique le lait avec la substance du fourrage. Sans l'aide de la chenille, l'homme ne pourrait jamais retirer des feuilles du mûrier la matière de ses tissus les plus précieux. Nos admirables étoffes de soie prennent réellement naissance dans le ver, qui les bave en un fil.

Revenons à la chenille suspendue au milieu de son lacis. Maintenant elle travaille au cocon. Sa tête est dans un mouvement continuel. Elle avance, elle recule, elle monte, elle descend, elle va de droite et de gauche tout en laissant échapper de sa lèvre un menu fil qui s'enroule à distance autour de l'animal, se colle aux brins déjà placés, et finit par former une enveloppe continue de la grosseur d'un œuf de pigeon. L'édifice de soie est d'abord assez transparent pour permettre de voir travailler la chenille; mais en augmentant d'épaisseur, il dérobe bientôt aux regards ce qui se passe dedans. Ce qui suit se devine sans peine. La chenille, pendant trois à quatre jours, épaissit la paroi du cocon jusqu'à ce qu'elle ait épuisé ses provisions de liquide à soie. La voilà enfin retirée du monde, isolée, tranquille, recueillie pour la transfiguration qui bientôt va se faire. Toute sa vie, sa grande vie d'un mois, elle a travaillé en prévision de la métamorphose; elle s'est bourrée de feuilles de mûrier, elle s'est exténuée à faire de la soie pour son cocon, mais aussi elle va devenir papillon. Quel moment solennel pour la chenille !

Jules. — Les autres chenilles font sans doute comme le ver à soie ?

Paul. — Beaucoup, mais non toutes. Il y en a qui n'ont pas assez de liquide à soie pour construire un solide cocon ; alors elles associent diverses matières au peu de soie dont elles disposent. C'est ainsi que les chenilles velues mettent à profit leurs poils, qui se détachent alors sans difficulté, et les entremêlent avec les fils soyeux pour fabriquer une sorte de feutre ; d'autres font entrer dans le cocon une grossière filasse formée de brins de bois ; d'autres gâchent de la terre pour crépir les parois trop minces de leurs cellules ; d'autres se contentent d'une ceinture de soie qui les fixe dans quelque abri.

Émile. — Et le cocon de la zeuzère, comment est-il ?

Paul. — Dites-moi d'abord, mon cher enfant, dans quel but est construit le cocon.

Émile. — Ce n'est pas bien difficile : la chenille se fait un cocon pour être bien tranquille chez elle, et devenir papillon sans crainte d'être dérangée. Elle s'enferme afin de se transformer en paix.

Paul. — C'est bien cela. Dites-moi encore si la chenille de la zeuzère, sans se mettre en frais de construction, n'a pas une demeure solide, une retraite paisible, elle qui vit dans l'épaisseur d'une grosse branche d'arbre.

Émile. — Je le crois bien. Qui pourrait aller la troubler là dedans ?

Paul. — Eh bien, alors?

Jules. — Je comprends : la chenille ne se fabrique pas de cocon.

Paul. — Oui, mon ami, la bête a trop d'esprit pour faire l'inutile. La zeuzère ne se fabrique pas de cocon, protégée qu'elle est par l'épaisseur du bois ; elle se contente de tamponner avec une bourre de sciure l'arrière du couloir, pour couper le chemin aux intrus qui pourraient venir la troubler pendant le pénible travail de la métamorphose.

Une autre précaution est prise, précaution fondamentale sans laquelle le papillon périrait misérablement, car il n'a pas les robustes mandibules de la larve, ces crocs durs qui rongent le bois, mais seulement une trompe délicate, incapable de percer la feuille la plus mince. Comment ferait-il donc s'il naissait au cœur d'une branche, dans un couloir fermé par un bout et encombré de débris à l'autre? Faute d'outils pour s'ouvrir un chemin, il périrait sans pouvoir apparaître au jour, où il doit vivre. Que fait la chenille pour lever la future difficulté? Elle n'écoute plus sa prudence ordinaire, qui lui défendait d'attaquer l'écorce, crainte de se trahir ; elle va droit à la surface, et ses derniers coups de dents ouvrent une fenêtre par où s'envolera le papillon. Cela fait, les mandibules peuvent tomber, le casque de corne peut disparaître ; ces outils sont désormais inutiles, car tout est disposé en vue de l'avenir. La chenille se recule donc un peu de la fenêtre ouverte et se prépare à la transfiguration finale.

Jules. — C'est admirable, oncle Paul; on dirait que la chenille prévoit l'avenir.

Paul. — Elle le prévoit en effet, non péniblement comme nous et d'une manière incertaine, par une combinaison rationnelle d'idées, mais sans réflexion, sans aucune chance d'erreur. Les secrets pressentiments de l'instinct lui donnent cette merveilleuse prévision dont elle n'a pas conscience.

VIII

LA CHRYSALIDE

Paul. — Une fois enclose dans son cocon, la chenille se flétrit et se ride comme pour mourir. D'abord, la peau se fend sur le dos; puis, par des trémoussements répétés qui tiraillent d'ici, qui tiraillent de là, le ver s'écorche douloureusement. Avec la peau tout vient : casque du crâne, mandibules, yeux, pattes, estomac et le reste. C'est un arrachement général. La guenille du vieux corps est enfin repoussée dans un coin du cocon.

Que trouve-t-on alors dans la cellule de soie? Une autre chenille, un papillon? — Ni l'un ni l'autre. On trouve un corps en forme d'amande, arrondi par un bout, pointu par l'autre, de l'aspect du cuir et nommé *chrysalide*. C'est un état intermédiaire entre la chenille et le papillon. On y voit certains reliefs qui déjà trahissent la forme de l'insecte futur : au gros bout, on distingue les antennes et les ailes étroitement appliquées en écharpe sur la chrysalide.

Les larves du hanneton, du capricorne, du cerf-volant et des autres scarabées passent par un état analogue, mais avec des formes mieux accentuées. Les diverses parties de la tête, les ailes, les pattes, délicatement repliées sur les flancs, sont très reconnaissables. Mais tout cela est immobile, tendre, blanc, ou même transparent comme le cristal. Cette ébauche d'insecte s'appelle *nymphe*.

L'expression de chrysalide usitée pour les papillons et l'expression de nymphe usitée pour les autres insectes signifient une même chose sous des apparences un peu différentes. La chrysalide et la nymphe sont, l'une et l'autre, l'insecte en voie de formation, l'insecte étroitement emmailloté dans des langes sous lesquels s'achève l'incompréhensible travail qui doit changer de fond en comble la structure première.

En une vingtaine de jours, si la température est propice, la chrysalide du ver à soie s'ouvre ainsi qu'un fruit mûr, et de sa coque fendue s'échappe le papillon, tout chiffonné, tout humide, pouvant à peine se tenir sur ses jambes tremblantes. Il lui faut le grand air pour prendre des forces, pour étaler et sécher ses ailes. Il lui faut sortir du cocon. Mais comment s'y prendre ? La chenille a fait le cocon si solide, et le papillon est si faible ! Finira-t-il dans la prison, le pauvret ?

Émile. — Tiens, c'est vrai, le voilà bien embarrassé. Comment fera-t-il pour percer sa prison de soie ? La zeuzère n'a pas ce souci ; le papillon s'envole par la fenêtre ouverte dans le bois.

Paul. — Vous voyez qu'en ne se filant pas de cocon,

qui du reste lui serait inutile, la zeuzère s'évite plus tard de sérieux embarras.

Émile. — Avec les dents, le papillon ne peut-il déchirer le cocon ?

Paul. — Mais, naïf enfant, il n'en a pas, ni rien qui en approche. Il n'a qu'une trompe, incapable du moindre effort.

Émile. — Avec les griffes alors ?

Paul. — Oui, s'il en avait d'assez robustes. Le malheur est qu'il n'en a pas.

Jules. — Cependant, il doit pouvoir sortir de là.

Paul. — Sans doute, il en sortira. Toute créature n'a-t-elle pas ses ressources dans les moments difficiles de la vie ? Pour briser la coque de l'œuf qui le retient prisonnier, le tout petit poulet a sur le bout du bec un durillon fait exprès, et le papillon n'aurait rien pour ouvrir son cocon ! Oh ! que si. Mais vous ne sauriez soupçonner le singulier outil dont il va se servir. Il va se servir de ses yeux.

Jules. — De ses yeux ?

Paul. — Oui. Les yeux des insectes sont recouverts d'une calotte de corne transparente, dure et taillée à facettes. Il faut un verre grossissant pour distinguer ces facettes, tant elles sont fines ; mais, si fines qu'elles soient, elles n'ont pas moins de vives arêtes, dont l'ensemble constitue au besoin une râpe. Le papillon commence donc par humecter avec une goutte de salive le point du cocon qu'il veut attaquer ; et puis, appliquant un œil sur l'endroit ainsi ramolli, il tourne sur lui-même, il cogne, il gratte, il lime. Un à un, les fils

de soie cèdent à la râpe. Le trou est fait, le papillon
sort du cocon. Que vous en semble? Les bêtes parfois n'ont-elles pas de l'esprit comme quatre? Qui de
nous se serait avisé de forcer les murs d'une prison en
les cognant de l'œil ?

ÉMILE. — Le papillon doit avoir bien cherché pour
arriver à ce moyen ingénieux?

PAUL. — Je vous le répète encore : le papillon ne
cherche pas, ne réfléchit pas. Il sait immédiatement
faire et très bien faire ce qui le concerne. Un autre a
réfléchi pour lui.

ÉMILE. — Et qui ?

PAUL. — Dieu lui-même, Dieu, le grand savant que
a doué chaque espèce de l'instinct nécessaire à sa conservation.

Le papillon du ver à soie n'a rien de gracieux. Il
est blanchâtre, ventru, lourd. Il ne vole pas, comme
les autres, de fleur en fleur, car il ne prend aucune nourriture. Aussitôt sorti du cocon, il se met à pondre ses
œufs, puis il meurt.

Tous les insectes à métamorphoses passent par les
quatre états que je viens de vous faire connaître : *œuf*,
larve ou *chenille*, *chrysalide* ou *nymphe*, *insecte parfait*.
L'insecte parfait pond ses œufs, et la série des trans-
formations recommence. C'est ce qu'on nomme
métamorphose complète. Mais il y a des espèces qui ar-
rivent plus rapidement à leur forme finale, sans passer par
tous ces états. Les sauterelles, les criquets, les grillons,
par exemple, ont au sortir de l'œuf à très peu près la
forme de l'animal parfait ; seulement leurs ailes ne sont

pas développées et se réduisent à de petits moignons figurant une courte jaquette. Plus tard, à la suite d'un changement général de peau, les moignons s'allongent, s'étalent et deviennent de grandes ailes recouvrant tout le ventre. Là se borne la transformation qu'on appelle *métamorphose incomplète,* ou *demimétamorphose.*

IX

LE COSSUS

L'histoire de la zeuzère avait bien amusé les deux enfants; Jules était même tout consolé de son lilas perdu. L'oncle, qui savait de quelle utilité peuvent être des notions exactes sur les insectes nuisibles, ne demandait pas mieux que de continuer ses récits; mais, autant que possible, il voulait laisser à ses neveux le plaisir et le mérite de surprendre les ravageurs à l'œuvre.

Cherchez bien, leur disait-il, parcourez le jardin, examinez, trouvez, et je vous raconterai l'histoire de ce que vous m'apporterez.

Ils ne se le firent pas dire deux fois. Tout un après-midi, ils furetèrent dans les recoins du jardin, examinant les feuilles, les fleurs, les branches, les écorces. Ils ne trouvèrent rien. Il leur manquait l'expérience qui abrège les recherches, le coup d'œil qui va droit au but. Et puis, l'oncle avait un tel soin de ses arbres, que, même pour des regards exercés, l'espoir était petit de voir quelque dégât. C'était bien par le plus grand des hasards qu'une chenille avait rongé le lilas. Bref, ils ne trouvèrent rien.

Ils s'entendirent alors avec un de leurs camarades, le petit Louis, qui reste sur la place en face de la fontaine, et lui racontèrent ce que l'oncle leur avait dit au sujet de la zeuzère. Louis prit goût à la chose. Il savait un orme fort gros, dont les feuilles jaunies et les rameaux à demi secs dénotaient l'état souffreteux. On y fut. Du pied de l'arbre, par des trous où l'on aurait pu plonger le pouce, suintait une humeur noire. D'autres trous plus frais étaient bourrés de sciure de bois. Impossible de s'y méprendre : l'orme était habité par des ravageurs. Mais quels?

ÉMILE. — C'est encore la chenille de la zeuzère.

JULES. — Les trous sont bien gros, ce pourrait être autre chose.

LOUIS. — J'ai un couteau ; nous allons voir.

Et le voilà qui soulève l'écorce, qui entaille le bois malade. En moins de rien, la pointe du couteau fut cassée, tant le petit Louis y allait avec feu. Il fallut renoncer à creuser plus avant ; d'ailleurs les trous paraissaient plonger dans l'épaisseur du tronc, où il était impossible de les suivre sans fendre l'orme en deux. Mais ne voilà-t-il pas qu'en soulevant un lambeau d'écorce morte, Émile met à découvert une chenille si grosse, si laide, d'aspect si repoussant que personne n'ose y toucher.

Comment faire pour rapporter à l'oncle la précieuse capture? Jules est ingénieux : il eut bientôt fait un cornet de papier où la bête fut poussée avec un bâton. Il mit dans sa poche quelques morceaux d'écorce et de bois qui lui paraissaient travaillés d'une certaine façon, il mit dans une boîte une douzaine de petits scarabées trouvés sous l'écorce, et l'on partit. En route, à diverses reprises, il fallut renouveler le cornet troué par la chenille, qui mâchait le papier aussi facilement qu'une feuille tendre de laitue. L'oncle était sur la porte ; il les vit arriver tout radieux de joie.

Paul. — La chasse est bonne. Pour votre coup d'essai, vous avez mis la main sur l'ennemi le plus redoutable des arbres.

Jules. — On l'appelle ?

Paul. — On l'appelle *cossus gâte-bois*. C'est la chenille d'un gros papillon que je vous montrerai tout à l'heure. Comme la chenille de la zeuzère, au sortir de l'œuf, elle se creuse un domicile dans le bois, qu'elle troue de larges et profondes galeries en rapport avec sa taille. Les ormes, les saules, les chênes, les peupliers, les platanes, sont les arbres qu'elle préfère. Elle vit trois ans ; aussi quand un arbre recèle plusieurs de ces terribles chenilles, est-il difficile qu'il résiste à leurs ravages si longtemps prolongés. Le nom de gâte-bois n'est que trop mérité ; je suis sûr que l'orme où vous avez pris la bête est un arbre perdu.

Jules. — Je le crois bien. Il n'a pas mon plein chapeau de feuilles, et encore sont-elles jaunes. Sous l'écorce, tout est vermoulu.

Paul. — Le cossus est d'autant plus redoutable que nous avons peu de moyens d'en défendre les arbres. La première année, quand la chenille encore jeune ronge la couche superficielle du bois, on soulève l'écorce d'où s'échappe de la vermoulure et l'on atteint sans

peine l'ennemi ; mais plus tard, quand la chenille s'est
enfoncée dans les profondeurs du tronc, il est impossible
de l'en déloger. Pour diminuer au moins la détestable
engeance, le moyen le plus efficace est de faire la guerre
au papillon, qui apparaît en juillet et s'accroche au
tronc des arbres où la chenille a vécu. Vous voyez
alors combien il importe de connaître ce papillon, pour
le détruire toutes les fois que l'occasion s'en présente
et lui faire même expressément la chasse en temps
opportun.

Émile. — La chenille que nous avons apportée est
bien grosse, et pourtant je l'ai trouvée sous l'écorce,
et non dans l'épaisseur du bois, que le couteau de Louis
n'aurait pu atteindre.

Paul. — Cette chenille venait de l'intérieur du
tronc ; elle s'était rapprochée de l'écorce pour creuser
la fameuse fenêtre par où le papillon s'envole. La
chenille du cossus fait comme celle de la zeuzère.
Quand elle sent venir le moment de la métamorphose,
elle se hâte de prolonger sa galerie jusqu'à l'extérieur
du tronc, pour que le papillon trouve un chemin ouvert ;
puis elle rentre dans les profondeurs du couloir, où elle
peut en sûreté dépouiller sa peau de chenille et devenir
chrysalide sans filer un cocon. La chrysalide est armée
de piquants dirigés en arrière. Quand elle remue dans
son canal, les piquants prennent appui sur le bois et la
font avancer peu à peu. C'est de la sorte qu'à ses
derniers moments elle remonte de l'intérieur du bois à
la fenêtre ouverte, et sort à demi de l'arbre. Alors elle
s'ouvre, et le papillon se dégage.

Jules alla chercher dans la chambre de l'oncle la boîte aux insectes, et Paul montra aux enfants le papillon.

Paul. — C'est en ce papillon que se change la chenille que vous avez apportée. Il est lourd, gros, ventru, d'un gris cendré, avec les ailes mouchetées de nombreuses rayures noirâtres. Il mesure bien près d'un décimètre d'un bout à l'autre des ailes étendues.

X

LES COLÉOPTÈRES

Le cossus remis dans la boîte, Jules sortit de ses poches des morceaux d'écorce et de bois dont les curieux sillons disposés avec un certain art avaient attiré son attention.

Jules. — Et ceci?

Paul. — Encore une excellente trouvaille. Les rainures dont ces morceaux de bois sont gravés ont été creusées par la larve d'un petit scarabée qu'on appelle scolyte. Auriez-vous trouvé l'insecte? C'est maintenant à peu près la fin de ses métamorphoses et l'époque de son apparition, car nous voici au mois de mai.

Jules. — C'est peut-être le scarabée que j'ai mis dans cette boîte. Il y en avait qui montraient la tête par un petit trou rond percé dans l'écorce de l'orme.

Jules ouvrit la boîte où se démenaient les captifs.

Paul. — C'est lui, c'est le *scolyte destructeur*, l'ennemi acharné des ormes malades. Examinons la bestiole en détail; elle en vaut la peine. Mais d'abord apprenons quelques expressions qui nous seront très commodes pour abréger. Vous savez tous comment est fait le hanneton?

Émile. — Le hanneton, qui, la patte retenue par un fil, compte ses écus au soleil et part quand je lui chante: « Vole, vole? »

Paul. — Lui-même. Son corps est divisé en trois parties. D'abord la tête, qui porte deux élégantes cornes ou *antennes* terminées par des feuillets qui s'étalent en éventail. La partie qui vient après est généralement noire, comme la tête, quelquefois brune et toujours revêtue d'un duvet cendré. Elle porte en dessous la première paire de pattes. Cette partie s'appelle *corselet*. Ce qui vient ensuite est l'*abdomen* ou le ventre, recouvert par deux grandes écailles d'un brun rougeâtre.

Louis. — Ce tout petit demi-rond noir qui se trouve en arrière du corselet, juste au commencement de la ligne de séparation des ailes?

Paul. — Il se nomme *écusson*.

Émile. — Et toutes les parties d'une petite bête ont, comme cela, un nom?

Paul. — Il le faut bien, si l'on veut se reconnaître un peu. Le hanneton a deux paires d'ailes, se recouvrant l'une l'autre. La paire extérieure forme les deux grandes écailles rougeâtres qui en dessus abritent le ventre. Ce sont les *élytres*. En dessous des élytres se trouvent les véritables ailes, celles qui servent au vol. Elles sont fines, membraneuses et délicatement repliées en deux quand l'insecte n'en fait pas usage. Les élytres, de consistance dure, leur servent d'étui, de fourreau, pour qu'elles ne se déchirent pas.

Jules. — J'ai souvent remarqué avec quel soin, lorsqu'il se pose, le hanneton replie ses ailes et les rentre sous les élytres.

Émile. — Lorsqu'il compte ses écus, au moment de prendre le vol, le hanneton soulève un peu les élytres ; les ailes sortent, s'étalent, et voilà la bête partie.

Paul. — Une foule d'insectes ont pareillement deux paires d'ailes, dont l'inférieure seule est de structure membraneuse et sert au vol, tandis que l'autre est dure, de la consistance de la corne, et forme une espèce de cuirasse. Dans le langage vulgaire, ces insectes se nomment scarabées, et *coléoptères* dans le langage des savants. Le mot coléoptère signifie ailes en étui ; il fait allusion aux ailes dures ou élytres qui servent d'étui aux ailes membraneuses, les seules aptes au vol.

Jules. — Alors le capricorne est un coléoptère.

Émile. — Et le cerf-volant aussi. Une épingle a de la peine à percer ses élytres, tant elles sont dures. Voilà une fameuse cuirasse pour défendre les fines ailes qu'il y a dessous.

Louis. — La jardinière en est une autre. Ses élytres sont vertes et reluisent comme de l'or.

Paul. — Tous ces insectes sont bien des coléoptères, seulement la jardinière n'a pas d'ailes membraneuses sous les élytres. Elle court rapidement, mais elle ne vole jamais. Divers autres coléoptères sont dans le même cas : leurs élytres protègent le ventre sans abriter des ailes propres au vol. Pourvus ou dépourvus d'ailes membraneuses, les coléoptères se reconnaissent toujours à la cuirasse de leurs élytres. Volontiers on les appellerait les insectes cuirassés, d'autant plus que tout le corps est défendu par une peau résistante, souvent d'aspect métallique. On dirait une espèce d'armure qui les revêt de pied en cap.

JULES. — Pour sûr, le papillon n'est pas un coléoptère, lui si délicat.

PAUL. — Comme le hanneton, les papillons ont quatre ailes ; mais toutes les quatre ont même finesse et servent également au vol. En outre, ces ailes sont recouvertes d'une sorte de poussière qui s'attache aux doigts quand on les touche. Vous savez avec quel ordre merveilleux les écailles argentées sont disposées sur la peau des poissons. Eh bien, la poussière des papillons est formée de fines écailles de toute forme, de toute couleur, arrangées sur les ailes avec un art semblable. Pour rappeler cette structure, les savants donnent aux papillons le nom de *lépidoptères*, qui veut dire ailes écailleuses.

JULES. — Tous les papillons alors sont des lépidoptères ?

PAUL. — Parfaitement. Quand vous trouverez cette expression dans les livres, rappelez-vous qu'elle désigne les papillons.

XI

LES SCOLYTES

Paul. — Maintenant revenons aux scolytes trouvés sous l'écorce de l'orme. Ce sont des coléoptères. La tête est noire avec un peu de duvet gris au milieu. Le corselet est grand, presque de la moitié de la longueur du corps ; sa couleur est d'un noir luisant. Les élytres sont d'un roux marron, ainsi que les pattes. Elles abritent des ailes membraneuses très légèrement noircies. Les scolytes se reconnaissent surtout à la façon dont le corps est conformé en arrière. Les élytres se terminent carrément, et le ventre est taillé d'une manière oblique et rentrante.

L'oncle montrait toutes ces choses sur l'insecte, qu'il avait transpercé, par le milieu de l'élytre droite, d'une longue et fine épingle pour le manier et l'observer commodément. L'épingle portant l'insecte était plantée sur un bouchon.

Jules. — Le scolyte est bien petit pour faire du mal à des arbres aussi grands que l'orme.

Paul. — Oui, il est petit, bien petit ; d'un bout du corps à l'autre on compte quelque chose comme six millimètres. Mais ce sont précisément les petits destructeurs qui sont les plus à craindre, parce qu'ils sont très nombreux et qu'ils échappent à nos regards peu attentifs. C'est presque toujours à notre insu qu'ils exercent leurs ravages. Quand le mal est fait, on s'en aperçoit ; alors il est trop tard. Que peut ronger un scolyte en sa vie ? Peut-être un morceau de bois gros comme une cerise. Le mal n'est rien pour un orme. Que voulez-vous que lui fassent quelques bouchées de la bestiole, à lui si grand, si fort ! Mais supposez des mille et des mille et puis encore des mille scolytes, et, bouchée par bouchée du tout petit scarabée, le gros arbre y passera.

D'ailleurs les scolytes ne s'établissent pas indifféremment dans toutes les parties du tronc, comme le font les cossus et les zeuzères ; ce sont de fins connaisseurs, qui préfèrent le bois jeune, tendre, plein de suc, au bois vieux, sec, coriace. Il faut vous dire que dans nos arbres il se forme chaque année, immédiatement au-dessous de l'écorce, une nouvelle couche de bois qui enveloppe l'ensemble des couches des années précédentes. Au cœur du tronc est le bois vieux, qui peut dans bien des cas sans inconvénient disparaître, car il sert uniquement de support à l'arbre sans remplir de rôle dans le travail de la vie ; témoins ces vieux saules caverneux, dont l'intérieur est tombé en pourriture, ravagé par les ans et les insectes, et qui cependant sont pleins de vigueur et couverts d'une abondante ramée. A la surface est le bois jeune et vivant, le bois en voie de se former ; là suinte la sève, qui est pour l'arbre ce que le sang est pour nous, c'est-à-dire le liquide nourricier d'où proviennent toutes choses.

Eh bien, c'est dans l'écorce, dans la sève visqueuse, au contact du bois jeune, que s'établissent les scolytes, jamais ailleurs. Que deviendrions-nous, hélas ! si des myriades de mangeurs envahissaient nos veines et se nourrissaient de notre sang! Fatalement nous péririons sans remède possible, comme périt l'orme dont la couche tendre, abreuvée de sève, est labourée par les scolytes. Voyons à l'œuvre le terrible scarabée.

En mai, la femelle, armée de solides mandibules, s'enfouit dans l'écorce ; puis, arrivée au bois, elle change brusquement de direction et creuse une galerie cylindrique de la grosseur de son corps. C'est le canal que vous voyez ici au milieu des nombreuses ramifications qui en partent. A mesure que le travail avance, elle pratique à droite et à gauche du couloir, à des distances égales, de petites entailles dans chacune desquelles elle dépose un œuf. La ponte achevée, elle sort à reculons par le trou qui lui a servi d'entrée. Et c'est fini, le vivre et le couvert sont assurés à la famille du scolyte.

Les œufs éclosent peu de jours après. Les jeunes larves se mettent à ronger, toujours entre le bois et l'écorce, et en s'éloignant peu à peu de la galerie centrale où elles sont nées. Chacune se creuse ainsi une galerie, d'abord très étroite, tout juste suffisante au passage du petit vermisseau, puis de plus en plus large à mesure que la larve grandit.

Jules. — Voilà pourquoi les galeries latérales vont en s'élargissant à mesure qu'elles s'éloignent du canal percé par la mère ?

Paul. — Précisément. Remarquez, mes enfants, une chose : ces galeries latérales ne se rencontrent jamais, ne se croisent pas l'une l'autre ; et pourtant les vers travaillent dans l'obscurité, ils ne se sont jamais entendus avec leurs voisins de droite et de gauche, ils ne savent pas même qu'ils ont des voisins dont les excavations et les leurs pourraient se rencontrer.

Émile. — Et qu'arriverait-il si deux galeries se croisaient?

Paul. — Une des larves périrait, peut-être toutes les deux. Les larves sont très peu scrupuleuses entre elles ; leur métier est de manger : elles le font vaillamment sans se préoccuper de rien, pas même de leurs pareilles. La larve la plus forte rongerait la plus faible, sans plus de façon qu'un simple morceau de bois, et lui passerait à travers le corps pour continuer sa galerie.

Émile. — Je comprends qu'elles veillent à ne pas se rencontrer.

Paul. — Elles n'y veillent pas ; cela se fait tout seul. Pour nous guider sous terre et creuser les galeries des mines dans les directions voulues, il nous faut de savants calculs, la géométrie, la boussole. Pour garder leurs aliments respectifs, sans y voir, sans connaître les travaux des voisines, les larves ont l'instinct, qui leur tient lieu de géométrie, de calculs et de boussole.

Jules. — Comment est-elle, la larve du scolyte?

Paul. — C'est un vermisseau blanc, grassouillet, ramassé sur lui-même. Il attaque le bois avec ses mandibules. Au reste, en voici un.

L'oncle venait de casser quelques morceaux d'écorce et avait trouvé dans leur épaisseur la larve du scolyte ainsi que la nymphe.

Émile. — Voyez comme les petites pattes et les ailes de la nymphe sont gentiment arrangées sous le ventre. On dirait que la bête est au maillot. Tout est d'un blanc de lait, excepté les pattes, qui ressemblent à du verre. Oh ! la jolie petite nymphe ! Elle ne bouge pas du tout, crainte peut-être de se faire du mal. Elle est si tendre !

Paul. — Dans quelques jours, elle se démènera si bien que la peau se fendra, et de cette espèce de maillot sortira l'insecte parfait, non avec ses couleurs, mais blanc. Puis, peu à peu, le corselet deviendra noir, et les élytres prendront leur teint marron. Cela se fait au mois de mai, juste un an après l'éclosion des œufs. L'insecte perce avec ses mandibules la mince couche d'écorce que la larve a laissée intacte, et s'envole pour revenir bientôt à l'arbre pondre ses œufs.

Jules. — Voilà pourquoi l'écorce de l'orme était percée d'une foule de petits trous ronds comme en ferait une fine vrille. Les insectes parfaits avaient déménagé pour la plupart.

Paul. — C'est cela même. Les scolytes n'attaquent pas les arbres sains et vigoureux ; il leur faut une sève maladive, du bois un peu mortifié. Quand donc un orme dépérit de vieillesse, de blessures, de sécheresse ou pour tout autre motif, les scolytes accourent et achèvent le moribond. Très probablement les cossus, dont vous avez trouvé la chenille, sont la cause première, la cause véritable de la mort de l'orme. Les scolytes sont venus plus tard leur prêter main-forte dans le travail de destruction. Le remède, si toutefois il est encore applicable, consiste donc à combattre les causes qui rendent l'arbre souffrant. Si le dépérissement vient de la sécheresse, on pratique un copieux arrosage après avoir ameubli le sol par un labour profond; s'il résulte d'un défaut de nourriture, autour de l'arbre on remplace la terre épuisée par de la terre neuve et des engrais; si les cossus ou autres chenilles ont envahi le tronc, mais non profondément, on leur fait la chasse en soulevant l'écorce aux points attaqués. Quand la santé revient et que la sève n'est plus dans l'état d'altération convenable à leurs goûts, les scolytes se retirent ou périssent, car leur métier n'est pas de manger les vivants, mais bien les moribonds.

On trouve des scolytes sur l'orme et sur le chêne. On en trouve aussi dans les écorces des vieux arbres fruitiers malades, notamment du prunier, du cerisier, de l'arbricotier, du poirier, du pommier. Dans tous les cas, les soins à prendre sont les mêmes.

XII

LE GRENIER

Simon, le père du petit Louis, n'était pas content, se dit-on. Il avait dans son grenier un magnifique tas de froment, qu'il se proposait de vendre à la prochaine foire. A vingt-deux francs l'hectolitre, cela lui faisait un beau sac d'écus. Mais il comptait sans la vermine. En visitant son blé, il finit un jour par s'apercevoir du dégât. Beaucoup de grains, la moitié peut-être, n'avaient plus que le son. On les écrasait rien qu'en les pressant un peu entre les doigts, et il en sortait une bestiole noire qui avait mangé toute la partie farineuse. Le père Simon se serait arraché les cheveux de chagrin.

Cependant le petit Louis avait répété chez lui ce que racontait maître Paul, il venait même de prononcer les mots de larve, de nymphe, de métamorphose, mots étranges pour des oreilles novices. La mère Simon, qui filait sa quenouille au coin de la fenêtre, avait éclaté de rire en entendant le babillage de l'enfant. « La belle occupation, disait-elle, que de regarder les petites bêtes et de s'informer de ce qu'elles font ! Se peut-il qu'un homme de bon sens, comme maître Paul, s'occupe de ces niaiseries ! Que je t'y voie gratter sous les écorces pour dénicher des vers ! Étudie le catéchisme, fainéant, et laisse les chenilles. »

Petit Louis baissait la tête, regrettant le mot métamorphose, qui sans doute venait de lui attirer la semonce. C'est alors que le père Simon descendit du grenier ; par la trappe, il avait tout entendu.

« Des niaiseries, une vermine qui nous mange la récolte !

— Quelle récolte ? fit la mère Simon.

— La nôtre.

— Dans le grenier ?

— Dans le grenier. Nous sommes ruinés si maître Paul n'y sait pas de remède. »

Simon sortit avec une poignée de son froment. La mère alla voir le blé du grenier. Le tas était noirci par des milliers et des milliers de bestioles grouillantes. On dit que jamais depuis la mère Simon ne fit de réprimande à son fils quand elle le voyait observer quelque insecte ; elle avait compris que ce n'est pas un temps perdu.

Toc, toc !... C'est le père Simon qui heurte à la

porte de maître Paul. Comme il lui tarde de savoir s'il pourra sauver le reste de sa récolte ! Heureusement, l'oncle est chez lui.

Simon. — Bonjour, maître Paul. Je suis bien en peine.

Paul. — Je le reconnais à votre figure. En quoi puis-je vous être utile ?

Simon. — Voyez.

Le brave homme ouvrit sa main pleine de blé et de petits scarabées noirs. Un coup d'œil suffit à l'oncle pour reconnaître l'ennemi.

Paul. — Les charançons vous ont dévasté le grenier.

Simon. — Il a plu dans le grenier apparemment ; le blé mouillé s'est échauffé, a fermenté, et de la pourriture est venue une quantité de vermine qui me mange le grain.

L'oncle hocha légèrement la tête comme pour dire : « Ce n'est pas ça. » Jules s'en aperçut.

Paul. — Et vous voulez sauver le grain encore bon ?

Simon. — Oui, si c'est possible.

Paul. — C'est possible ; je m'en charge.

Simon. — Vous me rendrez un fier service. Je le disais bien, que vous me tireriez de peine, vous qui savez tant de choses. Nous, pauvres ignorants, quand un malheur nous arrive, nous maugréons au lieu d'agir.

Paul. — Avez-vous quelques tonneaux, un peu grands, qui ne vous servent pas ?

Simon. — J'en ai.

Paul. — C'est tout ce qu'il faut ; le reste me regarde. Demain j'enverrai chercher à la ville de quoi défendre votre blé.

Simon. — Encore un service, maître Paul, plus grand que le premier. Mon voisin, Jean le Borgne, dit bien que les fils ne doivent pas en savoir plus long que les pères, qu'ils ne doivent pas mettre le nez dans des livres plus qu'on ne le faisait en notre temps. Je le laisse dire ; les choses marchent, et m'est avis que nous devons marcher avec elles au lieu de nous attarder dans l'ornière. S'il plaît à Dieu, mon fils Louis saura un jour ce qu'on ne m'a pas enseigné à moi-même. Lui permettez-vous de venir quelquefois quand vous racontez à vos neveux l'histoire des ravageurs, comme vous les appelez ?

Paul. — Très volontiers. Louis est un brave garçon, bien ami avec Jules.

Le père Simon revint chez lui presque consolé de son blé dévasté.

XIII

LE CHARANÇON DU BLÉ

L'oncle avait envoyé son vieux serviteur Jacques à la ville acheter la drogue nécessaire pour le traitement qu'il devait faire subir au blé du père Simon. En attendant, il raconta l'histoire du mangeur du blé. La poignée de grain laissée par Simon était sur la table dans une assiette. Les petits scarabées trottinaient de leur mieux pour s'échapper ; Émile, avec un brin de paille, les ramenait au centre de l'assiette, où ils se blottissaient parmi les grains. Louis était venu, il était tout oreilles.

Paul. — Ce ravageur des greniers se nomme *charan-*

çon du blé ou *calandre*. C'est un coléoptère. Il est cuirassé d'une enveloppe dure et brune finement gravée. Sous les élytres, il n'y a pas d'ailes membraneuses. Il ne peut donc voler, mais il trotte assez bien et se cramponne fortement. Vous voyez qu'Émile, avec son bout de paille, a de l'occupation pour empêcher les prisonniers de s'évader. La calandre a quatre millimètres de longueur environ. Tout son corps est d'un brun noir. Sa tête se termine par un long museau, par une espèce de fine trompe. Le corselet est long, gravé de points ; les élytres sont sculptées de sillons. Son caractère le plus frappant est le museau allongé en trompe.

Jules. — Il me semble avoir vu d'autres coléoptères, assez gros même, dont la tête se termine par une trompe semblable.

Louis. — Moi j'en ai trouvé, sur les noisetiers, dont le bec très long et menu ferait croire que l'insecte fume dans une longue pipe.

Paul. — Les coléoptères à trompe sont fort nombreux, en effet. Ils portent tous le nom de charançon, mais leur manière de vivre varie d'une espèce à l'autre. Quelques-uns s'attaquent aux arbres fruitiers, à la vigne. Nous en causerons un jour.

Avec son museau pointu, la calandre entame légèrement un grain de blé, et dans l'entaille elle dépose un œuf, qu'elle fixe au moyen d'une humeur visqueuse. Elle passe ensuite à d'autres grains, qu'elle traite de la même manière jusqu'à ce que sa provision d'œufs soit épuisée. C'est fait si délicatement que la meilleure vue ne découvrirait rien sur les blés infestés de ces redoutables germes. Cependant la calandre sait très bien quand un grain a déjà reçu un œuf, soit d'elle-même, soit d'une autre, et jamais elle ne commet l'imprudence de lui en confier un second, car le grain est trop petit pour deux mangeurs. A chaque grain sa larve, à chaque larve son grain, pas plus.

Bientôt les œufs éclosent. Le tout petit ver perce l'enveloppe du grain et s'introduit dans la partie farineuse par un trou presque invisible. Là, il est chez lui, bien tranquille, paisiblement livré aux douceurs de la bombance. Et quelle bombance! A lui seul un grain de blé, tout un grain de blé! Aussi devient-il gros et gras. En cinq à six semaines, la farine est achevée, mais le son reste, car l'adroite larve se garde bien de l'entamer; elle en a besoin pour lui servir de berceau pendant la métamorphose. Le grain rongé paraît tout intact alors qu'il est creux et loge un charançon. Dans cette cachette, la larve devient nymphe, et celle-ci insecte parfait. La calandre déchire alors l'enveloppe du son et quitte sa demeure pour explorer ce tas de blé, choisir les grains non rongés et leur confier ses œufs, qui doivent donner une nouvelle population de ravageurs.

L'oncle tria quelques grains un à un et les mit sous les yeux des enfants.

Paul. — Que voyez-vous de particulier dans ces grains?. Regardez bien.

Émile. — J'ai beau regarder, je n'aperçois rien. Ces grains ne diffèrent pas des autres.

Jules. — Je ne vois rien non plus.

Louis. — Et moi pas davantage.

Paul. — Ces grains, mes petits amis, n'ont plus de farine, malgré leurs belles apparences extérieurs ; le charançon les a vidés.

Jules. — Et comment les reconnaissez-vous ?

Paul. — Les grains habités par la calandre fléchissent sous la pression des doigts ; en outre, ils sont plus légers que les autres. La vue seule ne peut distinguer les grains attaqués des grains intacts, puisque l'enveloppe, scrupuleusement respectée par la larve, a dans les deux cas les mêmes apparences. Aussi, à moins d'une surveillance attentive, les dégâts des charançons passent inaperçus jusqu'au moment où se montrent les insectes parfaits ; mais alors le mal est sans remède. Simon ne croyait-il pas avoir un superbe tas de froment alors qu'il ne lui restait plus guère que le son ? Un moyen bien simple permet de reconnaître en quel état est le blé. On en jette une poignée dans de l'eau. Tout ce qui est sain descend au fond, tout ce qui est attaqué surnage. Nous allons faire cette expérience avec le blé de l'assiette, si Jules veut aller à la fontaine chercher un verre d'eau.

L'eau fut apportée, et l'oncle y jeta le blé. Quelques grains descendirent, beaucoup surnagèrent. On ouvrit ceux-ci avec la pointe d'une épingle. Dans les uns il y avait un petit ver blanc, mou, sans pattes, armé de fortes mandibules. C'était la larve de la calandre. Dans les autres il y avait une nymphe blanche ; dans quelques-uns enfin se trouvait l'insecte parfait, prêt à quitter son gîte.

Jules. — D'après le nombre de grains qui ont surnagé, le tas de blé de Simon doit contenir des millions de calandres, pour peu qu'il soit grand. Il doit falloir bien des charançons pour produire cette immense famille ?

Paul. — Pas autant que vous pourriez le croire. Combien supposez-vous qu'un charançon produise d'œufs ?

Jules. — Une douzaine peut-être.

Paul. — Ah ! que vous êtes loin de compte ! Dans le courant d'une saison, un charançon produit de 8.000 à 10.000 œufs, d'où proviennent autant de larves, rongeant chacune un grain. La capacité d'un litre contient en moyenne 10.000 grains de blé. Pour alimenter la famille issue d'un charançon, il faut donc à peu près un litre de froment. Supposez un millier de couples de ces insectes dans un grenier, et c'est assez pour détruire dix hectolitres de froment, de seigle, d'orge, d'avoine, car tout grain leur convient.

XIV

LE SULFURE DE CARBONE

Jacques cependant était revenu de la ville avec une bouteille bouchée et cachetée avec le plus grand soin.

Voici, dit l'oncle, de quoi mettre fin aux ravages des calandres dans le grenier du père Simon.

Jules. — Le contenu de cette bouteille ?

Paul. — Oui.

Émile. — Cela ressemble à de l'eau claire.

Paul. — Tout à l'heure vous serez d'un autre avis. Revenons un moment aux charançons. Le moyen le plus employé pour prévenir leurs ravages est de remuer fréquemment le tas de blé, de le pelleter de fond en comble. Les charançons, amis du repos, décampent au plus vite. Les écraser sous le pied pendant qu'ils déménagent n'est guère praticable : il y en a tant et tant, jamais on n'en verrait la fin. Que fait-on alors pour les empêcher de revenir ? Dans quelques recoins du grenier, on dépose de petits tas d'orge, grain favori des charançons ; ces tas sont la part de l'ennemi, on n'y touche jamais. Les calandres y trouvent la tranquillité qui leur convient, s'y établissent et laissent le blé où elles sont inquiétées. D'autres fois on dépose sur le tas de froment des plantes aromatiques, dont l'odeur fait fuir les insectes. Mais ces moyens n'ont pas une efficacité complète ; s'ils font déménager les insectes parfaits, ils laissent dans le tas les œufs, les larves, les nymphes, et c'est toujours à recommencer. Le remède par excellence serait de tout détruire à la fois, sans nuire au blé. Je vais vous montrer comment.

L'oncle déboucha la bouteille et versa dans le verre un petit travers de doigt du liquide.

Émile. — Ouf ! quelle puanteur ! Bien certainement ce n'est pas de l'eau claire, cela sent trop mauvais.

Jules. — C'est l'infection des choux gâtés. Ferait-on cette drogue avec des choux pourris ?

Paul. — Non, mon ami, bien qu'elle en ait l'odeur. On la fabrique avec du soufre et du charbon. Son nom est *sulfure de carbone*. J'en verse une goutte sur du papier. Il se produit, vous le voyez, une tache transparente comme celle de l'huile ; mais dans un instant elle s'efface et le papier reprend son premier aspect. Le liquide alors est parti, il s'est dissipé dans l'air en vapeur invisible. Le sulfure de carbone est donc remarquable par la rapidité avec laquelle il s'évapore. Il suffit de souffler un instant sur une mince couche de ce liquide pour la faire disparaître. Les vapeurs répandues dans l'air ne se voient pas, mais on les sent fort bien.

Jules. — On ne les sent que trop ; à dix pas du verre, elles infectent.

Paul. — Sortons dans le jardin ; j'ai autre chose à vous montrer.

On sortit ; l'oncle répandit à terre un peu de sulfure de carbone et en approcha une allumette enflammée. La poudre ne prendrait pas plus facilement. Aussitôt l'allumette approchée, la partie mouillée se mit à brûler avec une flamme bleue et l'odeur du soufre.

Paul. — Le sulfure de carbone est une des substances les plus inflammables ; aussi faut-il mettre une extrême prudence dans le maniement de ce liquide, tout comme dans le maniement de la poudre. Si par malheur on venait à casser une bouteille de sulfure de carbone au voisinage du foyer ou d'une lampe allumée, la maison serait incendiée ; l'on brûlerait vivant si le liquide s'était répandu sur les habits.

Louis. — Il est bien redoutable, ce liquide.

Paul. — Oui, mon ami, il est redoutable entre des

mains imprudentes, d'autant plus qu'il prend feu à distance au moyen de ses vapeurs. Mais il est sans danger si l'on a soin d'éviter tout ce qui pourrait y mettre le feu, lampe, lanterne, allumettes, voisinage du foyer. N'oublions jamais qu'il faut prendre avec le sulfure de carbone des précautions encore plus grandes qu'avec la poudre. Les étourdis ne doivent jamais y toucher. Quant à son efficacité pour exterminer les charançons, une expérience va vous en convaincre.

Paul mit dans un flacon une vingtaine de charançons pris dans la poignée de blé laissée par le père Simon ; puis il y versa une goutte, une seule, de sulfure de carbone. A l'instant même et comme foudroyées, les calandres se mirent à trembloter, puis raidirent leurs petites pattes et tombèrent sur le flanc. Elles étaient mortes. Les enfants étaient presque effrayés de la rapidité d'action de ce terrible liquide.

JULES. — Les charançons n'ont pas bu le poison, comment donc sont-ils morts ?

PAUL. — L'odeur seule du sulfure de carbone les a tués. Tout insecte, si gros, si vigoureux qu'il soit, succombe à l'instant s'il se trouve dans les vapeurs de ce liquide. Les larves, les nymphes, les œufs mêmes y périssent avec une égale rapidité.

Vous pouvez maintenant comprendre comment je me propose de traiter le blé de Simon. Le froment sera mis dans des tonneaux aussi grands que possible, que l'on remplira aux trois quarts seulement ; ensuite, dans chaque tonneau, on versera du sulfure de carbone, un demi-litre environ pour mille kilogrammes de blé.

Le tonneau étant bouché, on le roulera, pour bien répartir le liquide dans toute la masse; enfin on laissera les vapeurs agir pendant vingt-quatre heures. Alors on videra les tonneaux, pour recommencer l'opération sur d'autres grains. Inutile de vous dire qu'après vingt-quatre heures de séjour dans les vapeurs mortelles, calandres, larves, œufs, nymphes, tout enfin sera mort.

JULES. — Je le crois bien, puisque en moins d'une minute les charançons succombaient dans le flacon.

LOUIS. — Mais le blé doit être gâté par ce liquide puant?

PAUL. — En aucune manière. Une fois sorti du tonneau, le blé est exposé à l'air et remué à la pelle. Le sulfure de carbone, si facile à s'évaporer, disparaît sans laisser la moindre trace d'odeur. Enfin le blé est toujours propre à faire une excellente farine, si l'on a soin, bien entendu, de séparer par le lavage la partie saine de la partie gâtée. Le sulfure de carbone extermine radicalement la vermine sans nuire en rien aux qualités du grain, sans lui communiquer aucune odeur.

Dans l'après-midi, l'oncle mit en pratique, dans le grenier du père Simon, le procédé qu'il venait de faire connaître à ses neveux. Simon trouvait bien que cela sentait mauvais; c'est égal, confiant dans le succès, il remuait gaiement ses tonneaux empestés. Le lendemain on n'eût trouvé dans le grenier un seul charançon vivant. Père Simon était dans la jubilation.

XV

L'ALUCITE ET LA TEIGNE DES CÉRÉALES

Mais oui, père Simon était bien content d'avoir sauvé une bonne partie de sa récolte lorsque tout semblait perdu. Il en parlait à qui voulait l'entendre, se répandant en éloges sur le savoir de maître Paul. — « Quand vous autres vous dites, pourtant ! lui répondait Mathieu ; maître Paul vient avec une eau puante et en un tour de main purge un grenier de sa vermine. Quand vous autres vous dites, pourtant ! Si j'avais su la chose l'an dernier, les petits papillons blancs ne m'auraient pas mangé le blé. Quand vous autres vous dites, pourtant ! »

« Des papillons manger le blé ! se dit Louis ; je m'en informerai. » — Le soir, en effet, en revenant de sarcler les pommes de terre, il entra chez Paul, et l'on parla des papillons du blé, la boîte à insectes de l'oncle sous ses yeux.

Paul. — Regardez ce papillon. Est-il petit ! est-il fluet ! Le corps mesure de cinq à six millimètres de longueur ; d'un bout à l'autre des ailes déployées, on compterait au plus un centimètre et demi. Que peut-elle nous faire, la délicate créature ? Rien qu'en soufflant dessus, on la ferait périr. Ses ailes sont frangées d'élégantes houppes dont les brins ressemblent à des plumes d'une finesse incomparable. Les supérieures sont de couleur café au lait ainsi que le dessus du corps ; les inférieures sont obscures. Dans le repos, elles sont un peu repliées et couchées le long du dos.

Eh bien, mes enfants, ce papillon de rien est l'un des plus terribles ravageurs des céréales ; pour peu qu'il pullule, petite bouchée par petite bouchée, il mange des millions à l'agriculture ; rien que cela. Son nom est *alucite*.

Jules. — Mais les papillons ne mangent pas, vous nous l'avez dit souvent. Ils sucent les fleurs avec une trompe, quelques-uns même ne prennent rien du tout.

Paul. — Ce n'est pas l'alucite sous forme de papillon qui commet les ravages, c'est l'alucite en son premier état, l'état de larve ou de chenille. Je vous le répète encore : parvenus à la forme parfaite, les insectes font peu de dégâts ; ce sont les larves, les larves goulues, affamées, qui sont les vrais ravageurs.

La larve de l'alucite vit dans l'intérieur d'un grain de blé, à la manière de la larve du charançon. On la distingue de celle-ci en ce qu'elle est munie de petites pattes, tandis que la larve du charançon n'en a pas. De part et d'autre, les mœurs sont à peu près les mêmes. La chenille de l'alucite ronge la partie farineuse du grain, en respectant le son, qui lui forme une coque naturelle où elle devient chrysalide et finalement papillon. Le dégât reste inaperçu jusqu'à ce que les petits papillons s'élèvent par nuées innombrables du tas de blé ravagé ; une extrême surveillance peut seule prévenir ce malheur. De temps à autre, il convient de soumettre le blé à l'épreuve. On en jette une poignée dans de l'eau. S'il y a des grains attaqués, ils surnagent, parce qu'ils sont plus légers. On les ouvre, et d'après la forme de la larve, on juge si l'ennemi est l'alucite ou le charançon. Du reste, le remède est le même : on soumet le blé aux vapeurs du sulfure de carbone dans des tonneaux. Tout périt, œufs, chenilles, chrysalides, papillons, et le mal est arrêté net. Quelquefois on expose le grain à la chaleur d'un four pour tuer la vermine qui le ronge, mais il ne faut pas que la température soit trop forte, sinon le blé serait gâté. On peut encore remplir à demi un tonneau de blé et brûler dans la partie vide une mèche soufrée. On bouche alors la bonde et l'on remue. Le soufre, en brûlant, produit une vapeur suffocante, qui nous fait tousser quand nous respirons la fumée d'une allumette. Cette vapeur se nomme *gaz sulfureux*. Je n'ai pas besoin de vous dire que le gaz sulfureux, qui nous fait tousser des quarts d'heure durant et nous étoufferait si l'on en respirait trop, tue promptement l'alucite et ses larves. Je lui préfère cependant le sulfure de carbone, le plus actif des exterminateurs des insectes, et qui de plus ne nuit jamais au blé, ce que pourrait faire la vapeur du soufre par un contact trop prolongé.

C'est dans les champs, alors que le blé près d'être mûr est encore sur pied, que l'alucite fait sa ponte. A la base de chaque grain, elle dépose un œuf, et c'en est fait : si des précautions ne sont prises, l'alucite aura la farine, et le cultivateur le son. Il faut donc, avant la moisson, donner un coup d'œil attentif au champ et reconnaître si les alucites le fréquentent. Quand on voit au coucher du soleil de petits papillons voltiger autour des épis, le désastre est imminent si l'on n'y met bon ordre. Il est indispensable alors de ne pas laisser trop longtemps la récolte en meules, et de dépiquer le blé au plus tôt ; sinon les alucites réfugiées dans l'épaisseur des gerbes se propagent avec une rapidité calamiteuse.

Pour en finir, regardez maintenant la *teigne des blés*. C'est encore un fléau des greniers, un destructeur redoutable, malgré ses apparences inoffensives. Elle est un peu plus grande que l'alucite. Ses ailes supérieures sont tigrées de noir, de brun et de gris ; ses ailes inférieures sont teintées de noir. Elle dépose ses œufs sur le blé en grenier. Les chenilles qui en proviennent sont d'un blanc jaunâtre, très alertes sur leurs petites pattes. Leur manière de vivre diffère de celle des alucites. La chenille de la teigne trouve qu'il ne fait pas bon de marcher sur le blé dur, cela lui meurtrirait la peau. Il lui faut une maison portative, quelque chose comme la demeure de l'escargot, où, quand un danger menace, elle puisse en entier rentrer. Avec des fils de soie qu'elle bave, elle colle autour de son corps autant de grains de blé qu'il en faut pour lui former une espèce d'étui, d'où la tête seule sort avec les pattes de devant. A mesure que la chenille grandit, la maison ambulante est amplifiée aux dépens de nouveaux grains de blé. Ce n'est pas tout : le fourreau de blé sert plus que de demeure, il sert de provisions de bouche. La chenille grignote les murs de sa maison. C'est bien plus commode que de mettre la tête dehors pour ronger d'autres grains.

Un tas de blé envahi par ces chenilles est bientôt recouvert de fils de soie qui se croisent dans tous les sens et figurent des lambeaux de toile d'araignée. Si la vermine est abondante, le tas s'échauffe, répand une odeur désagréable et finit par se gâter. Les teignes aiment le repos et l'obscurité ; jamais elles ne confient leurs œufs à des greniers où l'agitation et la lumière troubleraient leur famille. Le plus sûr moyen d'éloigner ces insectes est donc de pelleter souvent le grain, de visiter les greniers et d'en ouvrir au grand jour les portes et les fenêtres. Si, faute de ces précautions, le grain est envahi, on a recours à la fumée du soufre ou aux vapeurs du sulfure de carbone, comme pour les charançons.

XVI

LES TEIGNES

Chut ! écoutez. . . . Pan, pan, pan, pan, pan. . . . C'est Ambroisine, si diligente malgré son âge, c'est mère Ambroisine qui prend soin de la maison de l'oncle Paul.

Sur une corde tendue en travers de la grande allée du jardin, elle a mis le manteau de l'oncle, le manteau à triple collet qui défend si bien de la pluie, du froid et de la neige. Un coin du manteau d'une main, une baguette souple de l'autre, elle tape, mère Ambroisine, comme si elle avait encore les jeunes bras d'autrefois. Pan, pan, pan, pan, pan. . . . Les enfants l'ont entendue ; Paul également, et il en profite pour continuer l'histoire des teignes.

PAUL. — Eh bien, mère Ambroisine, le drap est-il râpé ?

Ambroisine. — Tout neuf, monsieur; on le dirait sorti de ce matin de la boutique du marchand. S'il m'en souvient, il est aujourd'hui pourtant dans sa dixième année. Tant que je serai là, ne craignez rien : les teignes ne s'y mettront pas. D'un bon drap souvent secoué ne se voit jamais la fin.

Jules. — Ces teignes, ce sont d'autres papillons?

Paul. — Les teignes sont des papillons dont les chenilles se fabriquent une maison ambulante, un fourreau qu'elles traînent après elles et qui les recouvre presque en entier. Celle des greniers construit le sien avec des grains de blé agglutinés entre eux; d'autres en veulent aux étoffes de laine, aux fourrures, aux plumes, au crin dont elles se nourrissent, en même temps qu'elles s'en font un étui pour demeure.

Émile. — Il y a des chenilles qui se nourrissent de crin, de plumes, de drap?

Paul. — Il n'y en a que trop. Si mère Ambroisine n'y veillait, telle de ces chenilles se régalerait avec votre culotte.

Émile. — Ce doit être pourtant de peu de goût, et difficile à digérer.

Paul. — Je ne dis pas, mais les chenilles ont un estomac qui s'en accommode très bien. Celle qui mange la bourre et digère le crin ne connaît rien de meilleur au monde; celle qui ronge le vieux cuir se garderait bien de donner un coup de dent à la poire, au fromage, au jambon, choses détestables pour elle. Ainsi des autres. Les larves, je vous le disais un jour, sont les grands mangeurs de ce monde; tout, ou peu s'en faut, leur passe par le ventre. Elles ont donc, suivant le métier qu'elles sont destinées à faire, un estomac à se nourrir des substances les moins nutritives. Celles des teignes ont pour leur menu les peaux, les cuirs, le drap, la bourre, le crin, la laine, les plumes. A l'état parfait, ces destructeurs de nos étoffes, de nos habillements, de nos fourrures, sont de délicats papillons, généralement blanchâtres, qui viennent, le soir, se brûler les ailes autour de la flamme des lampes dont l'éclat les attire. Voici les plus remarquables dans ma boîte.

C'est d'abord la teigne du drap. Les ailes supérieures sont noires avec l'extrémité blanche. La tête et les ailes inférieures sont également blanches. La chenille se tient sur les étoffes de laine ; elle se construit un fourreau avec les débris du tissu rongé.

La teigne des pelleteries a les ailes supérieures d'un gris argenté, avec deux petits points noirs chacune. La chenille habite les fourrures, qu'elle tond poil par poil.

La teigne du crin vit, à l'état de chenille, dans le crin dont on rembourre les meubles. Elle est en entier d'un fauve pâle.

Tous ces papillons, et en général toutes les teignes, ont les ailes étroites, bordées d'une élégante frange de poils soyeux, et couchées en long sur le dos pendant le repos.

La plus à craindre est la teigne qui ronge le drap. Parlons-en plus au long, vous admirerez avec moi l'habileté qu'elle met à se faire un habit. Pour se mettre à couvert et vivre en paix, la chenille se fabrique un fourreau avec des brins de laine coupés et hachés du tranchant des mandibules. En moissonnant ainsi les brins un à un, la teigne rase le drap et fait place nette jusqu'à la trame. Là se borne parfois le dégât; mais il lui arrive aussi d'attaquer les fils du tissu et de trouer l'étoffe de part en part, de sorte que le drap n'est plus qu'un haillon sans valeur. Les brins de laine hachés servent en partie de nourriture à la chenille, en partie de matériaux de construction pour le fourreau. Celui-ci est artistement façonné au dehors au moyen d'un peu de matière soyeuse bavée par la chenille; au dedans, de soie seule, de sorte qu'une fine doublure défend la peau délicate de la teigne de tout rude contact. L'habit de la chenille a la couleur du drap tondu; il y en a de blancs, de noirs, de bleus, de rouges, suivant la teinte de l'étoffe. Il y en a même de bariolés de diverses couleurs, quand la chenille prend des brins de laine un peu par-ci, un peu par-là, sur une étoffe à plusieurs teintes. C'est alors une espèce d'habit d'Arlequin.

Cependant la chenille grandit, et le fourreau devient trop court et trop étroit. L'allonger est facile: il suffit d'ajouter de nouveaux brins de laine à l'extrémité; mais comment faire pour l'élargir? Eh bien, l'ingénieuse chenille semble avoir pris conseil d'un tailleur: avec les dents pour ciseaux, elle fend l'habit tout du long, et dans la fente elle ajuste une pièce neuve. La reprise est si bien faite, si bien cousue avec de la soie, que la couturière la plus habile difficilement ferait aussi bien.

Pour garantir des teignes les habillements de laine, on est dans l'usage de mettre dans les armoires qui les renferment des plantes odoriférantes, du poivre, du camphre. On a recours encore aux fumigations de tabac, aux émanations de l'essence de térébenthine, des huiles de goudron. Mais le moyen le plus sûr consiste à visiter fréquemment les étoffes, à les secouer, les battre et les exposer à la lumière, car toutes les teignes aiment le repos et l'obscurité. Mère Ambroisine le sait très bien. Comme elle secoue au soleil les habits d'hiver de l'oncle ! Pan, pan, pan, pan, pan.

XVII

LE HANNETON

Jules. — L'affiche de M. le maire ordonnant l'échenillage dans toute la commune est une excellente mesure, je le comprends, puisque si, par insouciance, on les laissait faire, les chenilles nous dévoreraient tout. Vous disiez même qu'un règlement semblable serait à souhaiter contre le hanneton. Je ne vois pas trop le mal qu'il fait. Il nous amuse tant lorsque, retenu par un long fil, nous le faisons voler en rond !

Paul. — Qu'il vous amuse, et beaucoup, j'en conviens. Comme vous, mes enfants, j'ai connu ces plaisirs du jeune âge. Aux premières feuilles, c'est bien une telle affaire ! Le soir, on se retire dans un coin pour se raconter des histoires, où il y a des loups, des forêts bien noires, des voleurs ; on parle du hanneton qui est arrivé ; on fait des projets pour le lendemain. On se lèvera bien matin pour secouer les arbres et faire tomber les insectes endormis ; on aura une boîte percée de trous pour les mettre, des feuilles fraîches pour les nourrir. A la première aube, on est debout. On visite les saules, les peupliers, les haies d'aubépine humides de rosée. La chasse est bonne, les hannetons tombent comme grêle : en voilà dix, en voilà douze, en voilà vingt. C'est assez. On retourne à la maison avec les captifs qui grouillent et bruissent dans un vieux bas, dans le mouchoir, dans la casquette; on fait provision de feuilles. Maintenant il faut essayer les bons. L'insecte, attaché par la patte avec un long fil, est mis au soleil ; il gonfle et dégonfle le ventre, il soulève les élytres, il déploie les ailes, et voun, voun, voun !!! le voilà parti. Il est bon. — O belles joies du temps des hannetons, joies enfantines, qu'êtes-vous devenues ! Gardez-les, mes enfants, le plus longtemps possible ; les autres ne les valent pas.

Émile. — Moi je n'attache pas le hanneton par une patte ; avec une aiguille, je passe le fil à travers la pointe du bout du ventre.

Paul. — Il paraît que la mode a changé ; car toute chose se raffine et toujours se raffinera, même au sujet des hannetons. De mon temps, on attachait l'insecte par la patte, c'était moins douloureux pour la pauvre bête. Mais là n'est pas la question. Très volontiers, vous le voyez, je ferais grâce au hanneton en faveur des amusements qu'il vous procure et de ceux qu'il m'a procurés. Nous sommes quatre ici. A l'unanimité le déclarons-nous innocent ?

Jules. — Oui ; je lui donne ma voix.

Louis. — Je lui donne la mienne.

ÉMILE. — Et la mienne donc ! J'en ai six dans ma boîte ; Jules les a pris hier en secouant un poirier. Il y en a deux qui volent, mais qui volent . . . vous verrez.

PAUL. — Le réquisitoire commence. — Le hanneton est d'abord une larve qui trois ans vit en terre, tandis que l'insecte parfait ne vit lui-même sur les arbres que de dix à quinze jours. C'est ici que les affaires se compliquent et que le procès prend une terrible tournure pour le hanneton. Cette larve est vulgairement connue sous les noms de *ver blanc*, de *man*, de *turc*. Que voyez-vous là ? Un gros ver pansu, de démarche lourde, courbé sur lui-même, de couleur blanche avec la tête jaunâtre. Regardez encore : le gros ver a six pattes qui lui servent, non à courir à la surface du sol, mais à ramper sous terre ; des mandibules fortes, aptes à trancher les racines des plantes. Sa tête, afin de fouiller avec plus de vigueur, a pour crâne une calotte de corne. Regardez toujours. Le ventre est distendu par la nourriture, qui apparaît en teinte noire à travers la peau, tant et tant que le ver ne peut se tenir sur ses jambes et se couche paresseusement sur le flanc. Cette larve vit trois ans, toujours sous terre, creusant d'ici et de là des galeries à la manière des taupes et vivant de racines. Tout lui est bon : racines des herbes et des arbres, des céréales et des fourrages, des plantes potagères et des végétaux d'ornement. L'hiver, elle s'enfonce profondément en terre et s'engourdit ; au printemps, elle remonte dans les couches supérieures, s'installe aux racines et passe d'une plante à l'autre à mesure que le mal est fait. Vous avez dans le jardin un beau carré de laitues ; sans motif apparent, un jour tout se flétrit. Vous tirez à vous ; le plant fané vient sans racine, le ver blanc l'a tranchée. Vous avez une pépinière d'arbustes que vous choyez comme vos yeux. L'affreux ver passe par là : la pépinière n'est plus bonne qu'à faire des fagots. Vous avez semé quelques hectares de froment ou de colza, vous avez dépensé en grain et en labours des sommes considérables, mais la récolte promet d'être belle et de vous dédommager largement. Le *turc* monte de terre, adieu la récolte : les tiges se dessèchent sur place, elles n'ont plus de racines. Quand ce terrible ver envahit un pays, la famine serait certaine si la facilité des communications ne permettait l'arrivée des vivres d'autres contrées. Aujourd'hui, progrès énorme, grâce aux moyens de transport et aux progrès du commerce, on ne meurt pas de faim dans une province quand le *ver blanc* a ravagé les champs ; on ne meurt pas de faim, mais que de misères amène la dévorante larve ! Bon an, mal an, dans l'étendue seule de la France, elle détruit pour des millions et des millions.

Émile. — Mes pauvres hannetons ! Votre procès me paraît bien perdu. Je ne vous savais pas si méchants avant d'être hannetons.

Jules. — Il y en a donc des quantités prodigieuses ?

Paul. — Des quantités effrayantes. Lorsqu'un champ est envahi par ces larves, la terre, minée dans tous les sens, n'a plus de consistance et s'effondre sous les pieds. Une année, dans le département de la Sarthe, les ravages devinrent tels, qu'il fallut recourir à l'extermination en règle. On fit en grand la chasse aux hannetons. On en prit 60.000 décalitres, pouvant contenir environ 5.000 hannetons chacun. Le total des insectes s'élevait donc à 300 millions.

Émile. — Est-ce beaucoup?

Paul. — Je vois ce que vous désirez : vous ne comprenez pas trop la valeur de ce nombre. Eh bien sachez que pour compter un à un ces 300 millions de hannetons, un homme mettrait plus de vingt ans en employant à ce travail 10 heures chaque jour.

Émile. — Oh! que de hannetons! Et moi qui priais tant Jules de me donner les six qu'il a pris hier. Si je m'étais trouvé là, j'avais de quoi choisir.

Paul. — Dans le département de la Seine-Inférieure, on a pu constater en moyenne la présence de vingt-trois *mans* par mètre carré, ce qui fait 230.000 dévorants par hectare, contenant 100.000 pieds de betterave. A ce compte, chaque racine était rongée par deux vers au moins. En admettant 80.000 pieds de colza par hectare, à chaque pied trois vers étaient attablés. Il est bien entendu que, dans ces conditions désespérantes, le colza ne fait plus de l'huile et la betterave du sucre. Tout périt avant l'heure.

XVIII

LE HANNETON (*suite*)

Émile. — Vous en direz tant, mon oncle, que le hanneton finira par perdre mon estime.

Louis. — Il a perdu la mienne pour toujours ; mais comment en débarrasser la terre ?

Paul. — Il n'y a qu'un moyen, un seul : ramasser les vers blancs et les hannetons. Nous pouvons bien compter dans une certaine mesure sur le concours de taupes, des hérissons, des carabes, des corbeaux, des pies, des corneilles, qui font la chasse aux larves, surtout dans les terres nouvellement remuées ; nous pouvons compter aussi sur une foule d'oiseaux, pies-grièches, moineaux et autres, qui mangent les hannetons ; mais le nombre des ennemis est si grand, que la destruction par ces moyens naturels est tout à fait insuffisante. Il nous faut intervenir énergiquement nous-même. Qui des deux aura les biens de la terre, l'homme ou le hanneton ? L'homme, s'il veut s'en donner la peine, s'il entreprend et continue une guerre d'ensemble contre l'insecte et sa larve.

Le ver blanc, vous disais-je, s'enfouit plus ou moins suivant la saison. En hiver, il descend à un demi-mètre, profondeur où il est à l'abri de la gelée. Quand la température s'adoucit, il remonte pour être à portée des racines, et dès les premiers jours d'avril un labour de vingt centimètres peut l'atteindre. On choisit donc un moment favorable pour donner à la terre des labours qui ramènent les larves à la surface. Des femmes et des enfants qui suivent la charrue ramassent les vers blancs dans les sillons. On a vu un hectare de terrain donner par ce moyen de 200 à 300 kilogrammes de vers.

JULES. — Que fait-on de cette vermine?

PAUL. — On l'enfouit en terre avec de la chaux. Le tout devient un excellent engrais; l'ennemi des récoltes sert à les faire pousser.

LOUIS. — Voilà pour les larves, restent les hannetons.

PAUL. — La chasse aux hannetons est plus facile. Ils sortent de terre vers le mois d'avril, pour se répandre sur les arbres. Leur durée à l'état parfait ne dépasse guère dix à quinze jours, mais comme ils n'abandonnent pas tous à la fois le sol où les larves ont vécu, on en trouve jusque vers la fin du mois de mai. Si le temps est froid ou pluvieux, ils restent accrochés sous les feuilles, sans mouvement; si la température est chaude, ils volent le soir par nuées jusqu'au milieu de la nuit; puis ils s'abattent sur le feuillage, où le matin on les trouve presque engourdis. C'est le bon moment pour les prendre, vous le savez tout aussi bien que moi. Lorsque les hannetons menacent, on se met donc à secouer de grand matin les arbres et les haies et l'on recueille les insectes dans des sacs, pour les enterrer ensuite avec de la chaux vive. La chasse doit se continuer sans relâche jusqu'à la fin de mai; elle doit se faire avec ensemble, sinon les hannetons des voisins insouciants viendront dans les autres cultures, et rien ne sera fait. Voilà pour quel motif un règlement serait à souhaiter sur le *hannetonnage*, comme nous en possédons un déjà sur l'*échenillage*.

Émile. — Les hannetons ne mangent que des feuilles, et vivent peu de temps. Ils ne doivent pas faire les mêmes dégâts que les larves. Alors pourquoi les détruire avec tant de rigueur?

Paul. — Les dégâts des hannetons sont peu de chose, il est vrai, par rapport à ceux des larves ; mais oubliez-vous, mon petit ami, que les hannetons pondent dans la terre les œufs d'où les larves proviennent? Chaque couple produit un assez grand nombre d'œufs ; admettons une cinquantaine. Lorsque, dans le département de la Sarthe, on a recueilli 300 millions de hannetons, on a donc délivré les récoltes futures de sept mille cinq cents millions de vers.

A ce nombre effroyable, Émile fit un bond et disparut dans l'appartement voisin. On l'entendait frotter des pieds la terre. Ah! les affreuse bêtes, les bêtes goulues, disait-il, en écrasant sous les pieds les six hannetons de sa boîte. L'exécution faite, il revint. L'oncle riait de son transport de colère.

Paul. — Vous pouviez les garder, vos six hannetons, mon enfant, sans compromettre l'avenir de la France ; vous pouviez leur chanter : « Vole, vole ! » sans nous attirer la famine. Six de plus, six de moins ne sont rien au total.

Pendant que Jules et Louis riaient aussi, l'oncle prit parmi ses livres un grand journal à couverture bleue ; puis il lut ce qui suit à haute voix.

Paul. — « La multiplication des hannetons a pris

cette année, 1868, sur plusieurs points de la France, mais particulièrement en Normandie, des proportions qui ont jeté l'épouvante dans les campagnes. Ce que ces insectes ont causé de ravages est à peine croyable. Dans la plupart des communes, les arbres ont été dépouillés entièrement de leurs feuilles. Le soir, l'air en était encombré à tel point qu'on pouvait à peine circuler. Presque partout des battues ont été organisées, et les ramasseurs recevaient de la mairie de 4 à 6 francs par cent litres de hannetons. A Fontaine-Mallet, près du Havre, en quatre jours on a recueilli 4,059 kilogrammes de hannetons. L'instituteur s'est mis à l'œuvre avec élèves ; 440 kilogrammes de hannetons ont été le fruit de la chasse d'un jeudi. Tous ces insectes ont été voiturés au Havre à pleins chariots et jetés à la mer. En beaucoup de localités, on les apportait en si grand nombre aux mairies, qu'on ne savait plus qu'en faire ; l'atmosphère en était empestée. A Rouen, en plusieurs endroits, chaque matin on les réunissait par tas, on les couvrait de brindilles, de feuilles sèches, de ronces et d'épines, et l'on y mettait le feu. »

PAUL. — Écoutez encore. Voici ce que dit un autre livre :

« En 1668, les hannetons détruisirent toute la végétation d'un comté de l'Irlande, à tel point que la campagne avait l'aspect mort de l'hiver. Le bruit de leurs mandibules broutant le feuillage des arbres ressemblait au sciage d'une forte pièce de bois ; le soir, on eût pris le bourdonnement de leurs ailes pour le roulement lointain des tambours. Enveloppés par la nuée d'insectes, aveuglés par cette grêle vivante, les habitants y voyaient à peine pour se conduire. La famine fut horrible ; les malheureux Irlandais en étaient réduits à manger les hannetons. »

Jules. — Eh bien, Émile, le moment eût été mal choisi de chanter : « Vole, vole ! »

Paul. — Maintenant, que dites-vous de ceci ? C'est moins lamentable que la famine de l'Irlande, mais de nature à vous renseigner sur les prodigieuses légions de hannetons en certaines années. En 1832, dans le voisinage de Gisors, une diligence fut enveloppée le soir par une nuée de hannetons. Les chevaux aveuglés, terrifiés, refusèrent opiniâtrément d'avancer. Il fallut rebrousser chemin : la nuée bourdonnante barrait la route à l'attelage. — Il y a une trentaine d'années, après avoir ravagé les vignobles des environs, les hannetons s'abattirent sur Mâcon. On les ramassait dans les rues à pelletées ; pour circuler, il fallait s'ouvrir un passage dans la nuée par de rapides moulinets de canne.

L'oncle ferma le livre. Personne ne dit mot en faveur du hanneton ; ils avaient tous compris que c'est là un ennemi des plus redoutables, avec lequel il faut très sérieusement compter.

XIX

LE RHYNCHITE ET L'EUMOLPE DE LA VIGNE

Un matin, Jules allait au moulin avertir que le blé de l'oncle était prêt pour la mouture. En sortant du village, le chemin côtoyait quelques arpents de vignes

LE RHYNCHITE ET L'EUMOLPE DE LA VIGNE 77

assez mal tenus; les mauvaises herbes, les chardons y venaient en liberté. Les ceps cependant réjouissaient le regard par la fraîcheur printanière des pousses tendres et vertes, avec leurs grappes de fleurs encore en boutons et leurs vrilles pleines d'un suc aigrelet. Des feuilles fanées et chiffonnées, d'autres sèches, gâtaient bien un peu les pampres, mais elles étaient en petite quantité, et Jules d'abord n'y fit pas attention. Puis, dans la dernière moitié de la vigne, elles devinrent si nombreuses, que les pousses semblaient avoir été rôties par le passage de la flamme. — Quelque ravageur est au travail ici, se dit l'enfant, dont le coup d'œil se formait chaque jour à l'observation; examinons cela de près. — Les pampres faisaient pitié à voir: à mesure que la sommité de la pousse, enveloppée de duvet, s'allongeait et s'exténuait à produire de nouvelles feuilles, des grappes et des vrilles, les feuilles inférieures pendaient flétries ou sèches et roulées en forme de cigares. Tout à côté se rencontrait souvent un insecte à long bec, un charançon d'un splendide vert métallique. A coup sûr, le beau charançon était l'auteur du mal. Insectes et cigares furent bientôt recueillis, les insectes surtout, si brillants au soleil. Survint en ce moment Jean le Borgne, le maître de la vigne.

Jean. — Que fais-tu là, petit?

Jules. — Je prends quelques-uns de ces insectes qui vous font du dégât.

Jean. — Voyons voir tes bêtes?

Jules. — Les voici.

Jean. — Et tu dis qu'elles me gâtent la vigne?

Jules. — Je le crois. Je viens d'en voir travailler à ces espèces de cigares.

Jean. — Ah bah! que veux-tu que des bêtes s'amusent à faire des cigares avec des feuilles? Elles ne fument pas. C'est la lune qui a rôti mes pampres, c'est la lune.

Et, satisfait de son explication, Jean le Borgne tourna les talons en sifflant un air. Il ne sifflait plus quand, trois ans plus tard, il lui fallut arracher les ceps épuisés par les rouleurs de cigares, mais il n'en démordait pas : la lune avait fait le mal.

De retour du moulin, Jules prit Louis en passant pour le faire profiter de ce que pourrait raconter l'oncle sur la capture de la journée.

Paul. — L'insecte trouvé sur la vigne est bien un charançon. Vous vous rappelez tous qu'on donne ce nom aux divers coléoptères dont la tête se prolonge en une espèce de trompe. Celui-ci est appelé *rhynchite* par les savants. Il est d'un magnifique vert brillant en dessus avec l'éclat de l'or en dessous. On en trouve, plus rarement, qui sont d'un bleu foncé. Le mâle a de chaque côté du corselet une fine pointe dirigée en avant. La larve est un petit ver de couleur blanche, sans pattes, qui vit d'abord dans un rouleau façonné par la mère avec une feuille de vigne. Dans le mois de mai, l'insecte coupe d'abord aux trois quarts la queue d'une feuille pour arrêter la sève ; de la sorte, la feuille se fane et acquiert la souplesse voulue. Alors le charançon la roule sur elle-même et dépose dans ses replis trois ou quatre œufs. Quand le rouleau a pris en se desséchant la teinte tabac, on le prendrait pour un cigare appendu au pampre. Les petites larves abandonnent bientôt cette première retraite, se laissent tomber et s'enfouissent en terre, où elles achèvent de se développer. Le rhynchite compromet la vigueur de la vigne en détruisant ses feuilles ; il faut donc recueillir, en mai et en juin, les rouleaux suspendus aux ceps et les brûler pour détruire l'insecte dans son berceau et prévenir les dévastations futures.

Jules. — Avec le charançon vert et luisant qui roule en cigares les feuilles de la vigne, j'ai trouvé un autre insecte que voici.

Paul. — Ce n'est plus un charançon, vous le voyez à la forme de la tête non prolongée en bec. Les élytres sont d'un rouge châtain, tout le reste du corps est noir. On le nomme l'*eumolpe de la vigne*, ou vulgairement l'*écrivain*, parce qu'il ronge la surface des feuilles et y trace de fines découpures ayant quelque ressemblance avec une écriture embrouillée. Il attaque de la même manière la queue des feuilles et des grappes, les jeunes pousses, les grains de raisin. Si les eumolpes sont abondants, toutes ces déchirures font dépérir les ceps, qui ne donnent que des fruits rares et de mauvaise qualité.

Les larves de l'écrivain vivent dans le sol. Pour les détruire, on retourne en hiver les terres infestées ; l'exposition aux intempéries les fait périr. Quant à l'insecte parfait, il faut des soins minutieux pour en débarrasser une vigne. Au moindre signe de danger, lorsqu'il est sur les feuilles occupé à tracer sa nuisible écriture, il rassemble les pattes sous le ventre et se laisse tomber sur le sol, avec lequel il se confond par sa couleur terne ; puis il ne bouge plus, il fait le mort.

Émile. — Il croit se tirer d'affaire en ne remuant pas ?

Paul. — Sans doute, parce qu'on le prend pour un grain de terre, si par hasard on l'aperçoit.

Émile. — Ne vaudrait-il pas mieux pour lui s'enfuir que de faire le mort ?

Paul. — Il a le vol trop lourd et les pattes trop courtes. Tous les insectes qui ne peuvent rapidement s'envoler et qui sont dépourvus de moyens de défense font comme l'écrivain au moment du danger : ils ne bougent plus. Le plus souvent ce moyen leur réussit, parce que leur couleur, en général terne, les fait confondre avec le sol.

Émile. — Ah ! les rusés !

Paul. — Eh bien, c'est la ruse de l'eumolpe que l'on doit mettre à profit pour donner la chasse à ce ravageur de la vigne. On étend au pied du cep une toile et l'on donne un coup sec à la souche. Les écrivains se laissent choir. Ils font les morts, mais on les voit sur la toile, et pas un n'échappe au triste sort qui l'attend.

XX

LA CLASSIFICATION

PAUL. — Le rouleur de cigares de la vigne a des imitateurs. Loger ses œufs dans un étui de feuilles qui reste exposé à la chaleur vivifiante du soleil est un moyen excellent d'activer l'éclosion. En outre, le rouleau de feuilles fournit peut-être les premières bouchées aux jeunes larves, qui, le moment propice venu, se laissent choir en terre pour continuer leur croissance. Ce moyen est donc mis à profit par d'autres charançons, qui présentent avec celui de la vigne un air incontestable de parenté. La similitude d'organisation entraîne la similitude des goûts. L'un d'eux, le *rhynchite du peuplier*, roule les feuilles du peuplier noir et les façonne en menus cigares. Il est plus petit que le rhynchite de la vigne; en dessus il est d'un doré feu, en dessous d'un bleu luisant. Un autre, nommé *attelabe*, d'un rouge carmin en dessus, d'un noir foncé en dessous, roule les feuilles du chêne.

JULES. — Je ne vois pas en quoi consiste l'air de parenté entre ces divers rouleurs de feuilles; ils sont tous d'une couleur différente.

PAUL. — L'air de parenté se traduit par l'ensemble de la forme, par les détails de structure, et non par la couleur. Ne dites-vous pas d'un homme, sans tenir compte de l'habit : « Tiens, comme il ressemble à un tel ! Ce doit être son père, ou son oncle, ou son cousin. » Pareillement les savants, dont le coup d'œil est passé maître en ces choses, classent les insectes d'après leur aspect, leur manière de vivre. Ils nous disent que les rouleurs de feuilles, rhynchites et attelabes, font partie d'un groupe de charançons auquel ils ont donné le nom d'*attelabiens*, en souvenir du rouleur des feuilles du chêne.

Jules. — Ainsi, parmi les insectes, tous ceux qui ont des élytres sont des coléoptères, ceux dont la tête se prolonge en une trompe sont des charançons ; parmi les charançons, ceux qui roulent les feuilles sont des *attelabiens;* et parmi les attelabiens se trouvent les rhynchites et les attelabes.

Paul. — Je n'aurais pas mieux dit. Les insectes forment dans l'ensemble des animaux ce qu'on appelle une *classe*. Ils se subdivisent en *ordres*, dont l'un est celui des coléoptères.

Louis. — Les papillons sont alors un autre ordre ?

Paul. — Ils forment un autre ordre, celui des lépidoptères. L'ordre à son tour se divise en *familles*. Les charançons constituent une famille parmi les coléoptères. Il y a pareillement la famille des carabes, dont je vous ai déjà parlé.

Émile. — Et le hanneton ?

Paul. — Le hanneton fait partie de la famille des *scarabées*. Cette famille comprend tous les coléoptères dont les antennes se terminent par des feuillets disposés à côté l'un de l'autre et pouvant se déployer à la façon d'un éventail.

Émile. — Alors cette sorte de hanneton d'un vert si luisant, que je trouve le matin endormi sur les roses, appartient à la famille des scarabées ? Il a les antennes arrangées comme vous le dites.

Paul. — Ce magnifique insecte s'appelle *cétoine dorée*. Il appartient en effet à la même famille que le hanneton ordinaire.

Louis. — Le capricorne, ce gros insecte noir dont les antennes sont si longues ?

Paul. — Il fait partie de la famille des *cérambycidés*. Les savants emploient pour désigner le capricorne le nom de *cérambyx*, d'où vient le terme de cérambycidés. Les deux expressions capricorne et cérambyx s'équivalent à très peu près ; elles signifient l'une et l'autre animal cornu. Les insectes de la famille du capricorne sont tous remarquables par la longueur de leurs antennes ; tous, à l'état de larves, vivent dans le bois, qu'ils percent d'une foule de trous.

Continuons. La famille se partage en *tribus*. Les attelabiens forment une tribu dans la famille des charançons ; de même les petits carabes qui tirent du pistolet de la façon que vous savez, les *brachines* et quelques autres, forment, dans la famille des carabes, la tribu des *brachiniens*.

La tribu se divise en *genres*. C'est ainsi que la tribu des attelabiens comprend divers genres : le genre rhynchite et le genre attelabe, par exemple.

Enfin le genre se subdivise en espèces. Au genre rhynchite appartiennent le rhynchite de la vigne, le rhynchite du peuplier et d'autres.

Résumons tout cela par écrit ; c'est un peu difficile pour vous.

L'oncle prit une plume et traça sur le papier le tableau suivant :

CLASSE . .	Insectes.
ORDRE . .	Coléoptères, Lépidoptères, etc.
FAMILLE. .	Charançons, Carabes, Scarabées, Cérambycidés, etc.
TRIBU . . .	Attelabiens, Brachiniens, etc.
GENRE . . .	Attelabe, Rhynchite, etc.
ESPÈCE . . .	Rhynchite de la vigne, etc.

Émile. — C'est bien difficile ; jamais je ne retiendrai cela.

Paul. — Il n'est pas indispensable que vous le reteniez. Mon but est simplement de vous faire entrevoir de quelle façon les savants parviennent à se retrouver au milieu de ces noms d'insectes, dont le nombre accablerait la mémoire la plus heureuse.

Émile. — Il y en a donc bien ?

Paul. — J'ai eu la curiosité de dénombrer les insectes qui se montrent, un jour l'un, un jour l'autre, dans le jardin seulement. J'en suis à trois mille déjà, et probablement je n'en verrai jamais la fin.

Émile. — Ma pauvre tête s'y perd. Comment faites-vous pour retenir leurs noms ? Rien que pour apprendre la fable de *La Cigale et la Fourmi*, je me mets tout en nage.

Paul. — Je ne fais rien ; cela se grave tout seul dans l'esprit. Pour arriver à cette facilité de retenir les choses, il faut, quand on a votre âge, s'exercer la mémoire, ce grand magasin aux idées ; et voilà pourquoi vous apprenez des leçons par cœur. Peu m'im-

porte que vous sachiez un jour les noms de quelques
douzaines d'insectes, plus ou moins utiles ; ce que je
souhaite pour vous, quand je recommande les exercices
de mémoire, c'est que vous possédiez, devenus hommes,
la haute lucidité du bon sens, résumé de tous les sou- 5
venirs dont l'esprit s'est enrichi.

Je vous parlais de trois mille espèces, rien que pour
notre modeste jardin. Que sera-ce pour l'étendue de
la terre entière ! Forêts, prairies, champs cultivés,
terres arides, fossés, eaux tranquilles, marécages, tout 10
est peuplé par l'insecte. Il bourdonne sur les fleurs,
il rampe sur la terre, il nage dans les mares, il vole dans
les airs, il court sur les sables, il se cache sous les pierres,
il s'enfonce dans la vase, il gratte sous les écorces,
partout il fourmille, partout il répand l'animation, 15
l'activité, la vie. Pour lui, le monde est presque trop
étroit. On évalue à 400.000 le nombre des espèces
répandues sur le globe, et Dieu seul sait par combien de
millions et de millions chaque espèce est représentée.
Rappelez-vous le hanneton. 20

JULES. — Je comprends de mieux en mieux la valeur de votre expression : *les grands mangeurs*. Par
leur nombre et leur appétit, les insectes seraient de
force à dévorer le monde, si rien ne faisait obstacle à
leur effrayante multiplication. 25

ÉMILE. — Les savants doivent avoir un fameux travail pour se retrouver au milieu de toutes ces espèces.

PAUL. — Voilà pourquoi ils ont imaginé, tant pour
les insectes que pour les autres animaux et les plantes
aussi, ce qu'on appelle une *classification*, c'est-à-dire 30

un arrangement par groupes de plus en plus petits, comme je viens de vous en donner une bien faible idée.

Émile. — Chaque espèce a son nom, n'est-ce pas?

Paul. — Oui, mon ami : chaque espèce a son nom, parfois joli, trop souvent assez bizarre et emprunté soit au grec, soit au latin, deux magnifiques langues dans le temps, mais qui ne se parlent plus aujourd'hui. Ainsi le hanneton s'appelle *melolontha*.

Émile. — Oh! quel drôle de nom! Pourquoi ne pas dire hanneton?

Paul. — Hanneton est un mot français, compris seulement en France et de ceux qui savent notre langue. Un Russe, un Suédois, un Anglais peuvent en ignorer la signification. Pour se comprendre entre eux, malgré la différence de langage d'une nation à l'autre, les savants ont adopté des termes d'un usage universel dans la science. Dites *melolontha* à un savant de n'importe quel pays, il saura de quoi il s'agit ; dites-lui hanneton, il vous regardera sans comprendre.

Émile. — Ce n'est pas mal imaginé. Mais dites-moi : nous autres, dirons-nous *melolontha ?*

Paul. — Nous dirons hanneton, mon petit ami ; hanneton, s'il vous plaît ; hanneton toujours.

XXI

LE COUPE-BOURGEONS

Paul. — Les attelabiens, vous disais-je, forment une petite tribu dans la nombreuse famille des coléoptères à bec ou charançons. Ils sont tous remarquables par la richesse de leur coloration. Vous connaissez déjà le rhynchite de la vigne et celui du peuplier, qui rivalisent d'éclat avec l'or ; je vous ai parlé de l'attelabe, coloré d'un vif carmin. Maintenant que dites-vous de celui-ci ? Il est d'un violet brillant, avec des reflets bleus que fait ressortir le délicat duvet dont tout le corps est couvert. La pourpre de nos plus riches tissus de soie n'a pas cette magnificence.

Émile. — Oh ! la jolie petite bête ! Que sait-elle faire avec son bel habit ?

Paul. — Rien de bon pour nous, mon enfant. Le signe d'un métier utile n'est pas dans l'éclat du costume, pas plus chez les insectes que chez l'homme. Le costume de l'abeille est d'un brun modeste, et l'abeille travaille à composer le miel ; celui du charançon que je vous montre est d'une rare somptuosité, et l'élégant porte-bec vit à nos dépens. Si vous avez dans le jardin de belles prunes, ou des poires, ou des pommes, il fait la récolte avant vous ; il n'attend même pas que les fruits soient mûrs, tant il craint d'arriver trop tard. En juin, il les perce avec sa trompe et dépose un œuf dans la chair. Les fruits piqués nourrissent quelque temps la larve, puis se dessèchent et tombent. Le ver alors émigre, il quitte la prune qui l'a nourri et s'enfonce dans la terre, pour reparaître au printemps suivant à l'état d'insecte parfait.

Émile. — Je veux savoir le nom de ce croque-prunes, pour lui faire l'accueil qu'il mérite.

Paul. — Fort mal à propos, on l'appelle *rhynchite bacchus*.

Jules. — Bacchus, s'il m'en souvient, est le dieu de la vigne.

Paul. — Précisément, et c'est en cela que consiste le côté défectueux du mot. Les premiers observateurs ont confondu, sans doute, le charançon des prunes et des poires avec celui de la vigne, et ont donné au premier le nom qui convient au rouleur de cigares. Le mal est fait, nous n'y pouvons rien ; gardons les noms tels qu'ils sont, mais ne prenons pas l'un pour l'autre deux charançons très différents de noms et d'aspect. Le rhynchite qui roule les feuilles de la vigne est sans poils et d'un vert doré ; le rhynchite bacchus est tout velu et d'un violet brillant. Pour éviter toute confusion, entre nous pourquoi ne l'appellerions-nous pas le rhynchite des prunes ou des poires ?

Louis. — Je préfère ce nom.

Émile. — Moi, je l'appellerai tout court le pique-prunes.

Paul. — Il n'y a pas d'inconvénient. Passons à un autre attelabien. Voyez un peu comme les goûts changent dans un groupe d'insectes en qui l'œil exercé reconnaît cependant d'intimes ressemblances, je dirais presque une étroite parenté. Les uns façonnent en rouleaux les feuilles de la vigne, du chêne, du peuplier ; les autres percent les fruits avec leur bec ; celui dont je vais vous parler coupe à demi les sommités des pousses jeunes et tendres de divers arbres fruitiers. Aussi l'appelle-t-on vulgairement *coupe-bourgeons*. C'est encore un rhynchite, mais beaucoup plus petit que celui de la vigne et des pruniers. On le nomme *rhynchite conique*, à cause de la forme de son corselet, qui s'amincit un peu en avant à la manière d'un tronçon de pain de sucre. Il est assez brillant, et d'un bleu virant au vert.

Son industrie est fort curieuse. Au printemps, il s'établit sur le poirier, le cerisier, l'abricotier, le prunier, l'aubépine, indifféremment. Il choisit une à une les pousses à sa convenance ; puis, dans la sommité encore en herbe, il perce avec le bec un petit trou au fond duquel il dépose un œuf. Or il faut à la jeune larve, paraît-il, une nourriture un peu faite, mortifiée, et non les sucs âpres de la pousse fraîche et vigoureuse. Nous-mêmes, n'avons-nous pas des goûts de ce genre ?

Dans la grande majorité des cas, les larves sont fort peu industrieuses ; elles mangent en goulues sans songer à rien. Vous comprenez bien que s'adonner à la bombance n'est guère le moyen de se former l'esprit. Il faut donc qu'elles trouvent la pâtée préparée à point, sinon, ne sachant pas la préparer elles-mêmes, elles périraient stupidement de faim. Et qui la prépare, cette pâtée, qui la dispose à point ? C'est la mère, s'il vous plaît, la mère, dont c'est la grande, l'unique préoccupation. Elle se met en recherche de vivres qui ne sont pas sa nourriture, qui même lui répugneraient ; elle abandonne sa part des joies sur les fleurs et au soleil pour se livrer opiniâtrément à des travaux pénibles, sans utilité aucune dans son propre intérêt ; et quand elle a usé ses quelques jours à cette rude besogne, elle s'accroupit dans un coin et meurt contente : la table est mise, les petites larves auront de quoi manger.

Quand, sur une feuille de vigne, le charançon reluit ainsi qu'une pierre précieuse, gardez-vous de croire qu'il soit là pour faire le beau. Il s'exténue, travail énorme ! à scier à demi la feuille par la queue, puis à la rouler en un étui qui doit servir de logement et de première nourriture aux larves. Sa vie entière, sa grande vie de deux à trois semaines, se consume dans ces occupations. En quoi peut être utile à l'insecte lui-même de scier des feuilles, de les faire faner au soleil, de les façonner en rouleaux ? Mais en rien, absolument en rien : le charançon ne mange pas ces feuilles, il ne se loge pas dans leur étui. Il use sa vie à ce travail uniquement en vue des larves qui doivent éclore après sa mort. Avez-vous réfléchi, mes enfants, à ce perpétuel miracle, le miracle d'une mère qui ne vit que pour ses fils, des fils qu'elle ne doit jamais voir ? Je ne vous le cacherai pas ; je me sens remué chaque fois que je songe à ces prévisions maternelles, à ces minutieux préparatifs pour l'inconnu de l'avenir. L'Œil qui voit tout est là.

A sa manière, le rhynchite conique prépare la pâtée de sa famille. Il faut à la larve, vous disais-je, les sucs moins âpres d'une pousse mortifiée. Que fait la mère pour mettre à point le jeune rameau ? Au-dessous de l'endroit où l'œuf est pondu, elle entaille circulairement l'écorce et le bois avec ses fines mandibules, de sorte que la pousse ne tient plus que par un filet central. La sève ne circulant plus, les feuilles se fanent, la sommité du rameau noircit et tourne à l'état de mortification aimée de la larve.

Il est fâcheux que, trop souvent, l'industrie des insectes s'exerce à nos dépens. Quand un arbre fruitier a été travaillé par le rhynchite conique, on voit, au mois de mai, les sommités des pousses pendre flétries, noircies, puis se dessécher et tomber.

Jules. — Les larves restent dans les bouts de rameaux tombés ?

Paul. — Qu'y feraient-elles ? Il n'y a plus rien de bon à manger. Elles s'enfoncent dans la terre pour achever de grossir, passer l'hiver en sûreté et se métamorphoser le printemps d'après.

Louis. — Alors, pour prévenir les dégâts de l'année suivante, il faudrait recueillir les pousses qui pendent fanées sur les arbres et les brûler quand les larves s'y trouvent encore ?

Paul. — C'est ce qu'il y a de mieux à faire.

XXII

LES PUCERONS

« Ah ! les affreuses bêtes, les vilains poux ! Je n'en verrai jamais la fin. Plus j'en écrase, plus il y en a. » — Qui disait cela ? Jules, levé dès la pointe du jour, pour soigner les deux ou trois rosiers de son petit jardin. Les fleurs promettaient d'être belles, mais elles étaient souillées par un pou dégoûtant, vert et ventru, qui recouvrait la queue des boutons et les pousses tendres d'une espèce d'écorce animale. Pour la troisième ou quatrième fois depuis quinze jours, Jules ratissait la couche de poux verts. L'extermination de la veille se connaissait à peine le lendemain; c'était toujours à recommencer. L'oncle fut prié d'en expliquer la cause.

Paul. — Les poux verts du rosier se nomment pucerons. Une foule d'autres plantes en nourrissent, mais d'espèces différentes. Tous sont remarquables par la rapidité de leur multiplication.

Il suffirait de quelques mots empruntés à cette partie de l'arithmétique qu'on appelle théorie des progressions pour comprendre comment un seul puceron peut être en peu de temps la souche d'une prodigieuse famille; mais vous n'êtes pas encore, ni l'un ni l'autre, assez avancés dans le calcul.

Jules. — J'en suis pourtant à la division.

Paul. — N'importe, votre esprit n'est pas suffisamment habitué à la valeur des nombres. Je préfère prendre un détour. Écoutez donc cette histoire.

Il y avait autrefois un roi des Indes qui s'ennuyait beaucoup. Pour le distraire, un derviche inventa le jeu d'échecs.

Ce jeu savant, image de la guerre, plut beaucoup au royal ennuyé, qui demanda au derviche quelle récompense il désirait pour son invention.

« Lumière des croyants, répondit l'inventeur, un

pauvre derviche se contente de peu. Vous me donnerez un grain de blé pour la première case de l'échiquier, deux pour la seconde, quatre pour la troisième, huit pour la quatrième, et vous doublerez ainsi toujours le nombre de grains jusqu'à la dernière case, qui est la soixante-quatrième. Avec cela je serai satisfait. Mes pigeons bleus auront du grain pour quelques jours.

— Cet homme est fou, se dit le roi ; il aurait droit à de grandes richesses, et il me demande quelques poignées de blé. » Puis, se tournant vers son ministre : « Comptez dix bourses de mille sequins à cet homme et faites-lui donner un sac de blé. Il aura au centuple le grain qu'il me demande.

— Commandeur des croyants, reprit le derviche, gardez les bourses de sequins, inutiles à mes pigeons bleus, et donnez-moi le blé comme je le désire.

— C'est bien. Au lieu d'un sac, tu en auras cent.

— Ce n'est pas assez, Soleil de justice.

— Tu en auras mille.

— Ce n'est pas assez, Terreur des infidèles. Les cases de mon échiquier n'auraient pas toutes leur compte. »

Cependant les courtisans chuchotaient, étonnés des singulières prétentions du derviche, qui, dans le contenu de mille sacs, ne trouvait pas son grain de blé doublé soixante-quatre fois. Impatienté, le roi convoqua les savants pour faire, séance tenante, le calcul des grains de blé demandés. Le derviche sourit malicieusement dans sa barbe, et se retira avec modestie à l'écart en attendant la fin du calcul.

Et voilà que, sous la plume des calculateurs, le chiffre s'enflait toujours. L'opération terminée, le chef des savants se leva.

« Sublime Commandeur, dit-il, l'arithmétique a prononcé. Pour satisfaire à la demande du derviche, vous n'avez pas assez de blé dans vos greniers. Il n'y en a pas assez dans la ville, pas assez dans tout le royaume, pas assez dans le monde entier. Avec la quantité de grains demandée, toute la terre, mers et continents, serait couverte d'une couche continue d'un travers de doigt d'épaisseur. »

Le roi se mordit la moustache de dépit, et, dans l'impuissance de lui compter son grain de blé, il nomma premier vizir l'inventeur des échecs. C'est ce que désirait le derviche malin.

Jules. — Comme le roi, je me serais laissé prendre au piège du derviche; j'aurais cru qu'en doublant un grain soixante-quatre fois, on eût au plus quelques poignées de blé.

Paul. — Désormais vous saurez qu'un nombre, même fort petit, lorsqu'il éprouve une série de multiplications par le même chiffre, est semblable à la pelote de neige, qui grossit à vue d'œil en roulant, et devient bientôt la boule énorme que tous nos efforts ne peuvent plus remuer.

XXIII

les pucerons (*suite*)

Émile. — Et les pucerons ?

Paul. — L'histoire du derviche nous y mène tout droit. Pour s'accroître en nombre, les pucerons ont des moyens rapides qu'on ne retrouve plus chez les autres insectes. Au lieu de pondre des œufs, trop lents à se développer, ils pondent des pucerons vivants, qui tous, absolument tous, dans une quinzaine de jours, ont pris leur croissance et se mettent à pondre une nouvelle génération. Cela se répétant toute la belle saison, c'est-à-dire pendant la moitié de l'année, le nombre de générations issues l'une de l'autre pendant cet intervalle de temps est au moins d'une dizaine. Admettons qu'un puceron en produise cinquante, quantité moyenne reconnue par l'observation. Chacun des cinquante pucerons issus du premier en produit cinquante autres, ce qui fait en tout deux mille cinq cents. Chacun de ces deux mille cinq cents en produit cinquante, en tout cent vingt-cinq mille. Chacun de ceux-ci en produit encore cinquante, ce qui donne dix millions deux cent cinquante mille pour la quatrième génération. Et ainsi de suite en multipliant toujours par cinquante pendant neuf fois.

C'est encore ici le calcul du grain de blé du derviche, qui s'accroît avec une étourdissante rapidité à mesure que l'on multiplie par deux. Pour la famille du puceron, l'accroissement est bien plus rapide encore, car la multiplication se fait par cinquante. Il est vrai que le calcul s'arrête au dixième terme, au lieu d'aller jusqu'au soixante-quatrième. N'importe : le résultat vous saisit de stupeur : il est égal, en nombre rond, à quatre-vingt-dix-sept mille milliards. Devinez ce que couvriraient tous ces pucerons serrés l'un contre l'autre comme ils le sont sur les rameaux du rosier, c'est-à-dire occupant chacun environ un millimètre carré de surface ?

ÉMILE. — Peut-être l'étendue de notre jardin.

PAUL. — Notre jardin n'est rien, ni dix jardins pareils, ni cent, ni mille, pour la descendance d'un seul puceron à la dixième génération. Il faudrait le cinquième de l'étendue de la France, dont la superficie totale est de cinquante millions d'hectares.

LOUIS. — Voilà ce qui s'appelle une famille prospère.

JULES. — En six mois, un puceron couvrirait de sa descendance cette énorme étendue ?

PAUL. — Oui, mon ami, si rien n'y mettait obstacle, si chaque puceron venait à bien et procréait en paix ses cinquante successeurs. Mais sur le rosier le plus paisible en apparence, c'est une extermination de tous les instants.

Pour nous venir en aide contre l'envahissement si rapide des pucerons, nous avons les oiseaux, les coccinelles, les syrphes, les hémerobes et bien d'autres mangeurs encore ; mais c'est loin de suffire : il faut nous-même nous préoccuper des moyens de les détruire. On les écrase, comme le fait Jules, si les plantes infestées sont basses et peu nombreuses. Mais s'il faut opérer plus en grand, on a recours tantôt à l'aspersion avec des liquides corrosifs, amers, odorants, tantôt à la fumigation, tantôt à l'insufflation de poudres insecticides. Les principaux liquides employés en aspersion sont l'eau de savon, l'eau de chaux, l'eau salée, les décoctions d'absinthe, de tabac, de feuilles de noyer, de suie, d'aloès. On les lance sur le feuillage avec une petite pompe foulante terminée par une fine pomme d'arrosoir. Les fumigations se font en brûlant, sous l'arbre préalablement couvert d'une toile, du tabac placé sur un réchaud que l'on active avec un soufflet. Les poudres insecticides les plus efficaces sont les poussières des manufactures de tabac, les poudres d'absinthe, de pyrèthre, d'armoise. On les répand sur les plantes au moyen d'un crible, ou mieux avec le soufflet employé pour soufrer la vigne.

Un puceron appelé *puceron lanigère*, c'est-à-dire portelaine, à cause de l'espèce de toison blanche dont il est couvert, ravage les pommiers. Il vit sur l'écorce. Pour le détruire, on flambe les branches infestées avec des torches de paille enflammées. Cette opération, appelée *coulinage*, se fait en mars, avant l'apparition des feuilles.

XXIV

LA COURTILIÈRE

Depuis quelques jours, l'oncle Paul avait disposé dans le carré des laitues deux grands pots à demi pleins d'eau et enterrés à fleur du sol. C'était, disait-il, un piège pour les courtilières, insectes de grande taille dont il soupçonnait la présence dans le jardin, sur l'indice de quelques salades flétries. Un matin, en visitant les pots, Émile y trouva trois courtilières noyées. A la veillée, l'oncle raconta leur histoire.

PAUL. — L'insecte qu'Émile a trouvé pris au piège s'appelle courtilière, d'un vieux mot français, *courtil*, hors d'usage maintenant, signifiant jardin. La courtilière est, en effet, un ravageur assidu des jardins. On l'appelle encore *taupe-grillon*, mot qui fait allusion à certaines ressemblances de l'insecte d'une part avec la taupe, d'autre part avec le grillon. Il a du grillon les fines et longues antennes, les deux filaments flexibles placés au bout du ventre, les ailes rudes pouvant frotter l'une contre l'autre pour produire une espèce de chant.

ÉMILE. — C'est donc avec les ailes que chantent les grillons?

PAUL. — Oui, mon ami. Le grillon, pour chanter, relève à demi ses ailes, qui sont sèches et rugueuses, et les frotte vivement bord contre bord. Les autres insectes qui chantent font à peu près comme le grillon.

ÉMILE. — La courtilière fait-elle *cri-cri* comme le grillon?

Paul. — Non. Son chant est un bruit monotone, une sorte de bourdonnement aigu, assez doux et continuel.

Émile. — Et pourquoi chante-t-elle, la courtilière ? Quelle laide bête avec ses petits yeux rusés, ses ailes écourtées, gros ventre et ses affreuses pattes de devant !

Paul. — Elle chante pour charmer sa solitude, pour appeler sa compagne. Vous la trouvez laide ; moi, je la trouve admirablement outillée pour le métier qu'elle doit faire. Elle vit dans la terre, à la manière des taupes ; et, comme les taupes, elle est armée d'un instrument spécial pour fouiller le sol et trancher les racines qui lui barrent le passage. Avez-vous jamais regardé les pattes de devant de la taupe ? Ce sont de larges pelles dentelées d'ongles robustes. Les pattes de devant de la courtilière ont une conformation semblable. Elles sont larges, courtes et armées de dents de scie sur la tranche. Avec ces deux puissants outils, l'insecte laboure le sol de galeries souterraines.

Jules. — Voilà pour quel motif on l'appelle *taupe-grillon :* elle a de la taupe les pattes larges propres à fouir.

Émile. — Je voudrais bien savoir ce qu'elles font sous terre, la taupe et la courtilière.

Paul. — Elles y recherchent des vers et des insectes de toute sorte pour s'en nourrir. Dans leurs chasses souterraines, l'une et l'autre tranchent avec leurs pattes de devant les racines qui les gênent ; mais la taupe, exclusivement carnivore, ne les mange jamais, tandis que la courtilière, vivant à la fois de vers et de matières végétales, les ronge quand elles lui conviennent. Elle ne dédaigne pas non plus une feuille tendre de laitue quand elle sort de nuit de dessous terre pour prendre un peu l'air et faire connaissance avec ses voisines. La courtilière fait donc de grands dégâts dans les jardins, soit en déchaussant les jeunes plantes lorsqu'elle creuse ses galeries, soit en tronquant les racines avec la scie de ses pattes, soit en les rongeant pour s'en nourrir.

La femelle construit, à un pan de profondeur, un nid qui se compose d'une boule de terre creuse de la grosseur du poing. Dans la cavité, soigneusement lissée, elle pond ses œufs, au nombre de trois à quatre cents; puis elle se tient dans le voisinage, comme pour veiller sur son nid. Nouvellement éclos, les jeunes sont tout blancs et ressemblent à de grosses fourmis. Il faut détruire ces nids toutes les fois qu'on les rencontre.

L'habitation de la courtilière se compose de conduits qui descendent plus ou moins profondément dans le sol et de galeries de chasse à fleur de terre. Pour déloger l'insecte de sa retraite, on introduit d'abord un peu d'huile dans le canal où l'on soupçonne qu'il est réfugié, puis de l'eau à plein arrosoir jusqu'à ce que toutes les galeries soient inondées. Suffoquée par l'huile qui lui bouche les voies respiratoires, la courtilière ne tarde pas à venir à la surface. On peut encore employer le piège dont je me suis servi. Un vase large et profond est enfoncé dans la terre jusqu'au niveau de sol; puis on le remplit à moitié d'eau. Attirées par la fraîcheur, les courtilières s'y noient pendant leurs promenades nocturnes.

La courtilière, le grillon, les criquets, les sauterelles, appartiennent à un ordre d'insectes que l'on nomme *orthoptères*. Ce mot signifie *ailes droites*.

Un orthoptère fait en Afrique d'épouvantables ravages. On l'appelle *criquet voyageur*, parce qu'il se rassemble en immenses essaims pour changer de contrée quand la nourriture vient à manquer. La bande émigrante s'envole comme à un signal donné, et traverse les airs sous forme d'un grand nuage qui intercepte la clarté du jour. Puis l'essaim destructeur s'abat, ainsi qu'un orage vivant, sur les cultures de quelque province. En peu d'heures, gazon, feuilles des arbres, blés, prairies, tout est brouté ; le sol, comme ravagé par le feu, ne conserve plus un brin d'herbe.

Jules. — Puisqu'ils voyagent, ces criquets affamés ne pourraient-ils venir chez nous ?

Paul. — Poussées par un vent favorable, des nuées de sauterelles traversent parfois la mer Méditerranée et viennent s'abattre sur les départements méridionaux. A diverses reprises, le territoire d'Arles a subi leur terrible visite. Il faut vous dire que si le pays leur convient, les sauterelles y pondent leurs œufs, d'où naît une légion de dévorants plus nombreuse que la première. Pour amoindrir les ravages de cette seconde génération, on fait la chasse aux œufs, que le criquet dépose en un tas au fond d'un trou cylindrique, creusé dans la terre à quelques centimètres de profondeur. En 1832, aux environs d'Arles, on recueillit près de 4.000 kilogrammes d'œufs, sans compter les sacs d'insectes. Il faut 80.000 œufs pour un kilogramme. C'est donc 320 millions de criquets que l'on détruisit en leurs germes. Figurez-vous les ravages d'une pareille nuée s'abattant sur la verdure d'un canton. Devant pareil fléau, l'homme baisse la tête et reconnaît son impuissance : l'insecte l'accable de son nombre.

Que de ravageurs, mes enfants, autres que les sauterelles, bravent par leur multitude nos moyens de défense ! Maintenant vous pouvez le comprendre, en vous rappelant ces larves, ces chenilles, ces vers, ces insectes de toute forme, de toute taille, de tout appétit, qui s'attaquent à nos cultures. Ils seraient certainement les maîtres si nous étions seuls à leur faire la guerre. D'autres, par bonheur, viennent à notre secours. Je vous raconterai plus tard l'histoire de ces précieux AUXILIAIRES de l'agriculture. Pour aujourd'hui, terminons là nos causeries sur les RAVAGEURS. Je suis loin, je le sais, d'avoir tout dit sur leur compte, des années entières n'y suffiraient pas ; mais mon but est atteint. J'ai appelé votre attention sur des ennemis très sérieux qu'il nous importe au plus haut degré de connaître. Les réflexions d'un âge plus mûr et l'observation feront le reste.

NOTES

I. LE LILAS CASSÉ

Page 1. 1. **il s'était levé**: *there had arisen.*

4. **cependant**: *ordinarily* or *usually*, in contrast with what he did this particular night. The word has in it the idea of contrast. How does the tense of **dormait** justify this translation?

6. **lui . °. . l'esprit**: *his mind.*

11. **couchée**: how can we tell whether this is an adjective or a participle?

12. **Plus jeune . . . de quelques années**: *several years younger.*

13. **lui**: *he.* Here lui has the meaning of il. Il can be used only as the subject of a verb expressed. If the verb is understood (as it is here), lui and not il must be used as the subject. The cases in which the student needs to know this occur only in reading, never in composition.

Page 2. 5. **grains**: means the individual grapes of a cluster.

12. **pas un**: ne is understood with the **pas**. Negation in a French sentence requires two words — **ne** and **pas**. If the idea in the sentence is made incomplete by the omission of the predicate, **ne** is also omitted. We understand **pas du tout** and *not at all*, being able in each to fill in the missing context. In the French sentence completed **ne** is, of course, an indispensable part of the context.

Here the function of the **pas** is clearer if we reverse the thought — *No one prunes better*, etc.

23. **lui disent**: *say to him*, that is, *address him as.*

24. **expérience** has in it the idea of *experimenting* as well as of *experiencing.* — **beaucoup . . . beaucoup**: *partly . . . partly.*

Page 3. 3. **Mon Dieu** has entirely lost its original meaning. The French consider it " a mere harmless interjectional phrase " devoid of any blasphemous intent. It may well be omitted in translation or

103

rendered with little fear of offending the squeamish by " Dear me!" or some equally innocuous and conventional ejaculation.

4. **qu'il est pénible:** *how hard it is!*

7. **ne savions: pas** is sometimes omitted with **savoir, pouvoir, cesser,** and **oser.** This does not apply to composition.

12. **venir à bien:** *develop* or *grow.*

21. **persuadé qu'il est:** *convinced as he is* or *convinced.*

II. LA CHENILLE

Page 4. 6. **un autre lilas:** what is the difference between **un autre lilas** and **encore un lilas?** How many does he have when he has **un autre lilas?** How many when he has **encore un lilas?**

10. **de cette nuit:** *last night's.*

Page 5. 5. **n'a fait qu'accélérer:** *has only hastened.*

13. **bourré:** take with **canal.**

Page 6. 7. **vous:** *on you.*

8. **venez . . . de:** *have just.* Learn this idiom, as it occurs frequently in all French.

9. **aucune chenille n'a du venin:** *no worm or caterpillar is venomous.*

12. **hérissées:** Fabre made some remarkable investigations on the subject of irritations caused to the skin by hairy caterpillars. He discovered the cause and recorded the results. — **encore:** *even then.* — **tout ce qui . . . de pire:** *the very worst that.* This substantive form, **de pire,** is best given as a superlative in English.

15. **d'y songer:** *from thinking of it.*

17. **La belle affaire:** sarcastic. *It's a beautiful job of biting that this worm would do!*

Page 7. 3. **grosseur:** refers here to diameter and circumference.

9. **jamais:** how different from **jamais . . . n'** of **6,** 29–30?

14. **de nos regards:** *from our sight.*

III. LE PAPILLON

Page 8. 2. **voletaient:** what is the difference between **voleter** and **voler?** Compare also the verbs *flit* and *flutter* with *fly.* Is there a similar difference here?

NOTES

3. **se**: does this mean *to themselves?*

17. **comme . . . de métaux précieux**: *as of precious metals.*

Page 9. 7. **apportait**: *was bringing.*

23. **œufs**: how is this plural pronounced?

Page 10. 3. **voler**: see note to **8**, 2.

5. **Jacques.** Maître Paul's gardener.

13. **en quelque sorte**: *as it were* or *so to speak.*

24. **bête du bon Dieu**: *ladybird* or *ladybug*, " 'bird' of Our Lady (the Virgin Mary)," German *Marienkäfer*, " (the Virgin) Mary's beetle." Dictionaries give the French name as **bête à bon Dieu.**

Page 11. 5. **Il en est de même du**: *it's the same with the.*

10. **Ainsi des autres**: *so with the others.*

17. **argus**: for pronunciation see Vocabulary.

27. **d'élégance**: *in magnificence* or *in beauty.*

30. **Arrive**: the normal order is **La marraine arrive.** What does Fabre's style gain by this flexibility?

Page 12. 2. **Et voilà que**: *and behold!*

4. **fait-elle**: compare with **fit-il, 4,** 8.

20. **que**: *what.*

IV. LES LARVES

Page 13. 3. **soient**: *will be.*

6. **convienne**: *is adapted.*

11. **il**: *she.* We often have an idea, which is quite incorrect, that il means *he.* Here is a good illustration of the inaccuracy of this notion. Il refers to the female **papillon** — at least we may so infer from its laying eggs.

21. **d'ailleurs**: *for other reasons.* They are given after the colon.

Page 14. 12. **aient**: see note to **13,** 3.

14. **se tirer d'affaire**: *get along as best he can* or *make his own way.*

25. **nécessité**: passive participle. See verb **nécessiter** in Vocabulary.

Page 16. 7. **tout juste le temps**: *just long enough.*

14. **quinze jours**: the approved way of saying *two weeks.*

18. **Aucun**: *none.* **Ne** is understood and would appear if there were a verb with **Aucun.** Paul's answer in full is **Le papillon ne fait**

V. LES GRANDS MANGEURS

aucun mal, etc. — Il en est à peu près de même pour: *it's nearly the same with.*

Page 17. 12. et qu': *and if.* The qu' repeats the si already used twice.

Page 18. 22. son: *bran,* the husky outer covering of the grain.

Page 19. 3. n'en finirais pas: *would not get done with them.* — voulais: here with the meaning *attempted.*

12. si cela me regardait: *if that were my affair.*

15. peu s'en faut: *very nearly everything* or, more exactly, *very nearly.*

23. Que je vous montre: *let me show you.*

VI. L'INSTINCT

Page 20. 1. déposée: why the last e?

Page 21. 5. un peu: *somewhat.*

24. que deviennent-ils: *what becomes of them?*

Page 22. 20. se garde bien d': *is very careful not to.*

22. en a: *has them,* that is, *has enemies.*

23. Qu'elle s'avisât: *suppose it took a notion.*

24. histoire: *a matter.*

29. sa propre: more emphatic than sa. What does **propre** mean?

Page 23. 3. justesse: how different from **justice**?

19. Garderait-il: *does he keep?*

24. Lui has the meaning of il. It is the subject of **confond**.

27. jamais: *never.* Why is ne omitted? See note to **2, 12**.

Page 24. 2. Rien: *nothing.* See above note.

14. crainte de trahir: *fear of revealing.*

VII. LE COCON

Page 26. 2. élevée en grand: *reared on a large scale* or *grown in quantities.*

7. en domesticité: *under artificial conditions.* The word domesticité reminds us of *domestic* animals.

Page 27. 4. pas plus que: *any more than.* — tel quel: *as such.*

24. se devine: *can be guessed.*

Page 28. 1. à faire de la soie: *to make silk.*

4. Les: does this contain the idea of *all?* What form would be used to mean *some?*

8. alors: at the time of building the cocoon.

Page 29. 21. lever: *to remove.*

Page 30. 8. conscience: many French words have the form but not the meaning of English words. The student must be on his guard against inferring the meaning of words from their appearance.

VIII. LA CHRYSALIDE

Page 31. 18. ainsi qu': *like.*

23. s'y prendre: blind expressions of this sort are explained in the Vocabulary.

26. c'est vrai: *that's so.* May be taken as referring to the next part of the sentence.

Page 32. 1. du reste: *also.*

6. en approche: *resembles them.*

10. n'en a pas: *has none (strong enough).*

12. en is, as it were, the pronoun form for the noun in **de là** above.

17. que si: *but yes!* This form of affirmation follows negatives. It is used in contradictions and corrections.

24. si fines qu'elles soient: *small as they are.*

25. n'ont pas moins: *none the less have.* — **vives**: *plainly marked* or *clear-cut.*

Page 33. 13. Dieu: while the author's real piety probably led him to mention God frequently, repeated mention of God actually served, at the time this book was written, to disarm criticism. Fabre had had the misfortune to bring upon himself the disapproval of sundry ecclesiastical authorities of the city in which he taught. See his biography by Legros, p. 81.

29. à très peu près: *very nearly.* This is the superlative of **à peu près**.

Page 34. 5. se borne: *stops.*

IX. LE COSSUS

Page 34. 10. **ne demandait pas**: *asked nothing.*

17. **firent**: *let* or *allow.*

Page 35. 2. **le petit Louis**: *little Louis.* When a proper noun is preceded by a qualifying adjective, it takes the definite article.

7. **On y fut**: *they found what they were looking for.*

22. **ne voilà-t-il pas qu'**: *lo and behold!* or *see!*

Page 36. 5. **sur la porte**: *on the doorstep.*

19. **est-il**: same as **il est**.

24. **encore**: *already.*

26. **d'autant plus**: the idea is, the fewer the means of defense the greater the danger.

Page 37. 21. **trouve**: subjunctive with **pour que**.

X. LES COLÉOPTÈRES

Page 38. 14. **Encore une**: see note to 4, 6.

17. **Auriez**: the conditional is used to soften the positiveness of the statement. *You may possibly have.*

Page 40. 1. **en deux**: *double.*

14. **vulgaire**: *ordinary* or *everyday* or *popular* or *common.*

Page 41. 7. **de pied en cap**: in English we sometimes see a similar expression — *cap-a-pie.*

XI. LES SCOLYTES

Page 43. 3. **Que voulez-vous,** etc: *what harm do you think the bug's few mouthfuls can do to it?*

19. **témoins**: *for example* or *witness.*

22. **vigueur**: what is the sound of the first **u**?

29. **jamais**: what does it mean here? — **Que deviendrons-nous**: *what will become of us?*

Page 44. 23. **vont en s'élargissant**: *grow larger and larger.*

29. **se sont ... entendus**: *have had no agreement* or *understanding.*

Page 45. 9. **sans plus de façon**: *with no more concern.*

12. **veillent à ne pas se rencontrer**: *are careful not to meet.*
14. **n'y veillent pas**: *are not careful about it.*
18. **y voir**: see Vocabulary.
20. **tient lieu de**: *takes the place of.*
Page 46. 9. **se fait**: see **45**, 14.

XII. LE GRENIER

Page 47. 16. **se dit-on**: *it was rumored.*
23. **rien qu'en**: *merely by.*
Page 48. 2. **venait . . . de prononcer**: *had just spoken.* See note to **6**, 8.

5. **filait sa quenouille**: *was spinning;* literally, *was spinning her distaff.* — **avait éclaté de rire**: *had burst into a laugh.*

7. **que de regarder**: *that of watching.*

Page 49. 4. **bien en peine**: *in great trouble.*

12. **Il a plu**, etc.: Fabre's routine here is to have the incorrect popular explanation given so as to correct it.

Page 50. 6. **m'est avis**: *my opinion is.*

14. **bien ami**: is it possible to tell from **bien** whether **ami** is a noun or an adjective?

XIII. LE CHARANÇON DU BLÉ

Page 51. 6. **a de l'occupation pour**: *has all he can do to.*

11. **sculptées**: learn the pronunciation.

30. **les blés**: *stocks* or *lots* or *holdings of wheat.* Best translated as if it were singular.

Page 52. 4. **en**: (*of them*). We naturally omit this, just as the French naturally insert it. The antecedent of **en** is the plural inferred from œuf, line 2.

28. **J'ai beau regarder**: *look as I will* or *although I look* (*carefully*). Avoir beau is a difficult idiom. It always implies concession.

30. **non plus**: *either.*

Page 53. 1. **moi pas davantage**: *nor I either.* Literally, *I (don't see) any more (than Jules).*

14. **alors**: *then* in the sense of *by that time.*

16. **alors qu'**: see Vocabulary. — **ne . . . plus guère**: this

telescoped negative consists of two idioms — **ne . . . plus,** *no longer;* and **ne . . . guère,** *scarcely.*

18. **On . . . jette:** *let us throw.*

Page 54. 3. **pour peu qu'il soit grand:** *though it is small.*

XIV. LE SULFURE DE CARBONE

Page 55. 7. **tant et tant:** *so very many.*

17. **s'ils font:** *if they do make.* The antecedent of **ils** is **moyens.**

Page 56. 17. **en approcha:** *held near it.*

18. **poudre:** *gunpowder.*

25. **venait à:** how does this differ from **venir de?**

Page 57. 3. **y:** that is, **de ses vapeurs** (line 2).

28. **aux trois quarts:** *only three-fourths full.*

Page 58. 1. **étant bouché:** *being headed up* or *closed.*

12. **En aucune manière:** *not at all.* **Ne** is understood.

20. **aucune odeur:** see note to line 12 above.

21. **mit en pratique:** the following from a well-known agricultural publication dated August, 1920, shows that modern practice has not improved on Fabre's method of dealing with the weevil:

"To eliminate this pest your [grain] — before storing — should be treated with carbon bisulphide. Place the seed in a vessel which can be made tight so that no fumes may escape, then put the liquid in a saucer or cup which is placed on top of the seed. One ounce is sufficient for each one hundred pounds of seed. Cover and keep tight for twenty-four hours.

"Carbon bisulphide is highly inflammable, so it should be handled with the same care as gasoline, which it resembles in appearance, keeping it away from fire of any kind."

A Bulletin, Extension Circular No. 40, from the College of Agriculture of the University of Illinois, January, 1921, gives fuller information and better directions in a more scholarly way; but adds nothing to what Fabre has already told us.

The method of using the carbon disulphide recommended in the Bulletin is to pour the desired quantity of the liquid on an old burlap sack which has been laid on the grain to be treated. The fumes then distribute themselves downward in the grain. As evaporation from the cloth is more rapid than from a dish, surer results are obtained.

22. **venait de:** see note to **48,** 2.

XV. L'ALUCITE ET LA TEIGNE DES CÉRÉALES

Page 59. 5. **autres**: omit. It emphasizes the first **vous**. — **vous vous dites**: *you say to one another*.

10. **m' . . . le blé**: *my wheat*.

12. **en**: *about that*.

13. **Le soir, en effet**: *so that evening*.

20. **Rien qu'en soufflant dessus**: *by merely breathing on it*.

Page 60. 3. **petite bouchée**: to be taken with **mange**.

4. **rien que cela**: *that's the truth*.

17. **en ce qu'**: *by this, that*.

19. **De part et d'autre**: *in all respects*. — **à peu près**: *practically*.

25. **seule**: take with **surveillance**.

Page 61. 17. **lui**: *to it*.

Page 62. 5. **Pour en finir**: *in conclusion* or *finally*.

20. **en** is repeated in **pour lui former**, etc.

25. **provisions** means *supplies* of anything. What sort of supplies are **provisions de bouche**?

Page 63. 1. **sens**: see Vocabulary.

XVI. LES TEIGNES

Page 64. 5. **s'y mettront**: *get into it*.

6. **ne se voit jamais la fin**: *lasts forever*.

11. **Celle** refers to **la teigne**.

13. **en veulent aux**: *wish them (made) of*.

Page 66. 30. **on est dans l'usage de mettre**: *we ordinarily put*.

XVII. LE HANNETON

Page 67. 12. **les laissait faire**: *let them alone*.

13. **Vous . . . même**: *you*.

18. **Qu'il vous amuse . . . j'en conviens**: *I admit that he amuses you*.

25. **bien matin**: *early*.

Page 68. 14. **qu'êtes-vous devenues**: see note to **43**, 29.

Page 69. 21. **tant et tant**: see note to **55**, 7.

Page 70. 3. **tirez à vous:** *pull one.*

19. **que de:** *how many.*

30. **Sarthe:** a department of France, a short distance southwest of Paris. A department is one of the eighty-seven divisions of France.

Page 71. 12. **que de:** see note to **70,** 19.

15. **Seine-Inférieure:** at the mouth of the Seine on the Atlantic and the English Channel.

18. **pieds:** name given to the beetroots or beets.

XVIII. LE HANNETON (*suite*)

Page 72. 13. **ennemis** means **hannetons.**

21. **demi-mètre:** would that be deep enough in all parts of the United States?

Page 73. 15. **tous:** used here as a substantive. Pronounce *touss.*

26. **chaux vive:** same as **chaux,** line **7.**

27. **se faire:** *be conducted* or *be carried on.*

30. **Voilà pour quel motif:** *this is the reason why.*

Page 74. 13. **Sarthe:** see note to **70,** 30.

28. **journal:** *review.* The description given here fits some scientific publication, of which there are many in Europe. These reviews are published quarterly or even monthly.

Page 75. 11. **Havre (Le Havre):** a seaport at the mouth of the Seine on the English Channel.

19. **Rouen:** a city of Normandy, east of Le Havre on the Seine.

Page 76. 11. **Gisors:** a town about halfway between Le Havre and Paris. It is a few miles north of the Seine.

17. **Mâcon:** in eastern France, in the Rhone Valley.

XIX. LE RHYNCHITE ET L'EUMOLPE DE LA VIGNE

TITLE. **Rhynchite:** the author's note is "*Prononcez Renkite.*" Give French values to the letters.

Page 77. 2. **venaient:** *were growing* or *flourished.* This is not a very unusual meaning.

5. **pleines d'un suc:** perhaps the reader has enjoyed extracting

the juice from grape tendrils. The usual process is the most primitive possible.

19. **Tout à côté**: *close at hand.*

Page 79. 11. **que voici**: *which I have here.*

12. **n' . . . plus**: *not.*

30. **il rassemble, etc.**: Fabre here compresses into a few words the results of perhaps hours of observation.

Page 80. 2. **fait le mort**: *plays dead.* Some may prefer to say *feigns death.*

20. **coup sec**: *sharp blow* or *sudden shake.*

XX. LA CLASSIFICATION

Page 81. 11. **entraîne**: *brings with it.*

24. **un tel**: *so-and-so.*

Page 82. 13. **n'aurais pas**: *could not have.*

Page 84. 12. **pas indispensable** : Fabre was not much inclined to emphasize the formal side of science.

20. **J'en suis à**: *I have got up to* or *I have reached.*

24. **La Cigale**: fable by La Fontaine. These fables are to the French what Burns's poems are to the Scotch. They are specially in favor among the educated.

Page 86. 6. **dans le temps**: *once.*

XXI. LE COUPE-BOURGEONS

Page 87. 20. **porte-bec**: **charançon.**

Page 89. 18. **faite**: see Vocabulary under **fait –e.**

Page 90. 10. **pour faire le beau**: *for show.*

19. **Il**: it is well to remember that this word is utterly devoid of sex-gender. It has only the gender of its antecedent. Here it refers to the mother. See note to **13**, 11.

XXII. LES PUCERONS

Page 92. 24. **Indes**: East Indies.

28. **royal**: adjective.

Page 93. 29. **dans sa barbe**: *to himself.*

XXIII. LES PUCERONS (*suite*)

Page 95. 23. **encore ici**: *here again.*

Page 96. 21. **procréait en paix**: *produced without hindrance.*

23. **de tous les instants**: *going on all the time.*

XXIV. LA COURTILIÈRE

Page 98. 15. **taupe**: in another book Fabre sums up the case for moles, concluding that they are on the whole useful if not too abundant.

Page 99. 15. **larges**: be sure to have the correct meaning.

Page 100. 14. **Nouvellement éclos**: *for a short time after they have hatched.*

Page 101. 4. **Afrique**: when a Frenchman speaks of Africa, he means the French colonial possessions along the north coast: Morocco, Algiers, and Tunis.

6. **contrée**: *region, district,* or *locality.*

10. **destructeur**: what part of speech is this word?

16. **chez nous**: *to France.*

19. **départements**: like our *counties.* They are divisions of France.

20. **Arles**: a city on the Rhone, fifty miles from the Mediterranean.

25. **fait la chasse aux œufs**: not to be taken literally.

29. **kilogrammes**: the kilogram may be conveniently remembered as $2\frac{1}{5}$ pounds.

Page 102. 2. **Figurez-vous**: *picture to yourselves, imagine.*

3. **canton** has the same meaning here as **contrée, 101,** 6.

6. **Que de**: *how many!*

7. **bravent**: *defy.*

12. **à leur faire la guerre**: *in making war on them.* Notice that **faire la guerre à** is like **faire la chasse à, 101,** 25.

15. **Auxiliaires**: title of another book by Fabre on the plan of *Les Ravageurs.*

QUESTIONS

BASED ON THE TEXT

CHAPTER I

1. Combien de neveux l'oncle Paul a-t-il?
2. Comment s'appellent-ils?
3. Quel âge ont-ils?
4. Quels fruits y a-t-il dans le jardin de l'oncle Paul?
5. Pourquoi les gens du village l'appellent-ils maître Paul?
6. A quoi l'oncle Paul doit-il son savoir?
7. Quand Jules a fini sa leçon qu'est-ce que l'oncle Paul lui permet de faire?
8. Les petits garçons aiment-ils à jardiner?
9. Qu'est-ce qu'Émile a planté avant-hier?
10. Pensez-vous qu'ils poussent? Pourquoi pas?
11. Le vent a-t-il abîmé le petit jardin de Jules?
12. Quel était le plus grand ravage?

CHAPTER II

1. Comment l'oncle Paul console-t-il les enfants?
2. Pourquoi le vent avait-il si facilement cassé le lilas?
3. Comment dit-on en français: *wood, bark (of a tree), trunk (of a tree), shrub?*
4. Quel était le ravageur dont l'oncle Paul parlait?
5. Comment le ver ravage-t-il l'arbre?
6. Où l'oncle Paul trouve-t-il le ver?

7. Quand Émile voit le ver, que veut-il faire?
8. Qu'est-ce que l'oncle Paul veut faire d'abord?
9. Pourquoi l'oncle Paul veut-il examiner le ver?
10. Pourquoi les enfants sont-ils effrayés quand leur oncle met le ver dans le creux de sa main?
11. Est-ce que les vers mordent?
12. Les vers ont-ils du venin?
13. Y a-t-il le moindre désagrément à toucher les vers?
14. De quelle couleur est le ver qu'on trouve dans les lilas?
15. Donnez le signalement de la bête.
16. Pourquoi n'est-ce pas facile de trouver ces vers?
17. Qu'est-ce que les vers deviennent?
18. Quand Émile apprend cela, que veut-il faire du ver?
19. Pourquoi l'oncle Paul ne veut-il pas?

CHAPTER III

1. Comment dit-on en français: *wing, head, forehead, hair, finger, eye, body, back, shape, tail?*
2. Comment dit-on en français: *red, blue, bright blue, black, yellow, orange, white, sky blue, gray, reddish green?*
3. Quelle espèce d'insectes l'oncle Paul a-t-il dans la boîte qu'il a apportée?
4. Décrivez la zeuzère du marronnier.
5. Qu'est-ce que sont tous les papillons avant d'être papillons?
6. Comment s'appelle l'insecte sous sa première forme?
7. Décrivez la larve de la jardinière.
8. Décrivez la larve du hanneton.
9. Comment s'appelle le phénomène qui transfigure la larve en insecte parfait?
10. Le ver est changé en papillon par un miracle. Quel conte de fées cela suggère-t-il à l'oncle Paul?

CHAPTER IV

1. Comment s'appelle le papillon qui naît de la chenille du lilas ?
2. Comment dit-on en français : *tree, pear tree, apple tree, elm, chestnut tree, fruit tree, willow ?*
3. Où la zeuzère pond-elle ses œufs ?
4. Dans quel mois a lieu la ponte ?
5. Comment faut-il protéger les arbres fruitiers à cette période ?
6. Pourquoi est-ce plus facile de tuer le papillon que le ver ?
7. Pourquoi la larve qui sort de l'œuf ne peut-elle s'attendre à aucune aide de sa mère ?
8. De quelle prévoyance la mère a-t-elle fait preuve ?
9. Quel est la principale occupation de la larve ?
10. La larve a deux raisons pour manger. Nommez-les.
11. Un papillon grandit-il ?
12. Y a-t-il de petits hannetons qui deviennent ensuite de gros hannetons ?
13. La larve grandit-elle ?
14. Qui a la plus longue vie : la larve ou l'insecte parfait qui en provient ?
15. Combien de temps la zeuzère à l'état de chenille ou de larve reste-t-elle dans le bois ?
16. Combien de temps vit-elle à l'état de papillon ?
17. A quel moment les insectes font-ils du mal aux arbres ?

CHAPTER V

1. Pourquoi la larve mange-t-elle gloutonnement ?
2. Quel est le titre de ce chapitre ?
3. Comment dit-on en français : *paw* ou *foot, nose, ear, fur, moustache, hair* ou *bristle, flesh, stomach ?*

4. De quoi les larves se nourrissent-elles?

5. Nommez cinq manières par lesquelles les larves font des ravages.

CHAPTER VI

1. Combien de paires de pattes a une chenille?

2. Combien d'entre elles, par la métamorphose, deviennent les pattes du papillon?

3. Comment s'appellent ces pattes?

4. Comment s'appellent les cinq autres paires?

5. Que deviennent-elles quand la chenille devient papillon?

6. Avec quoi la chenille creuse-t-elle le bois?

7. Qu'est-ce qui trahit quelquefois les ravages de la chenille?

8. Que doit-on faire quand on voit cette vermoulure sur un arbre fruitier?

9. Comment peut-on essayer de tuer le ver dans son étroite galerie?

10. Pourquoi est-ce difficile?

11. Quels sont les ennemis du ver?

12. Un ver peut-il raisonner?

13. Qu'est-ce qui le guide dans son travail?

14. Le papillon mange-t-il le bois?

15. Comment le papillon peut-il songer que le bois est chose mangeable?

16. Pourquoi ne confond-il jamais un platane avec un poirier?

17. Se trompe-t-il quelquefois?

18. Définissez l'instinct.

CHAPTER VII

1. Nommez quatre manières par lesquelles les larves se préparent pour la métamorphose.

QUESTIONS

2. Décrivez le ver à soie.
3. Quel arbre cultive-t-on spécialement pour nourrir les vers à soie?
4. Quand ils mangent, à quoi le cliquetis des mandibules ressemble-t-il?
5. De quelle taille est le cocon du ver à soie?
6. La zeuzère se fait-elle un cocon?
7. Pourquoi pas?
8. Comment la chenille, devenue papillon, s'échappe-t-elle du couloir dans la branche de l'arbre?
9. Qu'est-ce qui donne cette prévision à la chenille ?

CHAPTER VIII

1. Comment s'appelle l'état intermédiaire entre la chenille et le papillon?
2. Faites la distinction entre les termes chrysalide et nymphe.
3. Comment le faible papillon sort-il de son cocon résistant?
4. Le papillon du ver à soie est-il joli?
5. Quand il est sorti de son cocon, que fait-il?
6. De quoi ce papillon se nourrit-il?
7. Quels sont les quatre états par lesquels tous les insectes à métamorphoses passent?
8. Nommez trois insectes qui ne passent pas par tous ces états.

CHAPTER IX

1. Pourquoi les deux enfants n'ont-ils pas pu trouver d'insectes nuisibles dans le jardin de l'oncle Paul?
2. Qui est venu à leur aide?
3. Pourquoi Louis pensait-il que l'orme était habité par ces ravageurs?

4. Qui a trouvé le ver?
5. Était-ce un joli ver?
6. Comment les enfants l'ont-ils emporté chez eux?
7. Qu'est-ce que Jules a trouvé sous l'écorce?
8. Est-ce qu'il a fallu refaire un autre cornet en route?
9. Comment s'appelle cette horreur de chenille?
10. Quels arbres cette chenille préfère-t-elle?
11. Combien de temps cette chenille vit-elle?
12. Le cossus est-il une sérieuse menace pour les arbres?
13. Dans quel mois le papillon du cossus apparaît-il?
14. Comment peut-on détruire le cossus?
15. Pourquoi la chenille qu'Émile trouva, était-elle sous l'écorce et non dans l'épaisseur du bois?

CHAPTER X

1. Quelles sont les trois divisions du corps d'un hanneton?
2. Combien le hanneton a-t-il de paires d'ailes?
3. A quoi servent les élytres?
4. Comment appelle-t-on les insectes qui ont deux paires d'ailes dans le langage vulgaire?
5. Comment les appelle-t-on dans le langage des savants?
6. Qu'est-ce que signifie le mot coléoptère?
7. Nommez trois coléoptères.
8. Lequel ne peut pas voler?
9. Les papillons sont-ils des coléoptères?
10. Comment les appelle-t-on?

CHAPTER XI

1. Comment s'appelle l'insecte qu'on trouve sous l'écorce de l'orme?
2. Comment reconnaît-on les scolytes?

3. Qu'est-ce que l'oncle Paul avait fait à l'insecte afin de pouvoir le manier commodément?

4. De quelle taille est le scolyte?

5. Comment un insecte si petit peut-il tuer un si grand arbre?

6. Le bois jeune et vivant d'un arbre est-il au cœur du tronc ou à la surface?

7. Qu'est-ce qui est le plus nécessaire à la vie d'un arbre, le vieux bois ou le nouveau?

8. Lequel les scolytes préfèrent-ils?

9. Pourquoi l'oncle Paul appelle-t-il le scolyte « l'ennemi des ormes malades »?

10. A quels arbres le scolyte s'attaque-t-il?

CHAPTER XII

1. Comment dit-on en français: *granary, wheat, grain, harvest?*

2. Combien vaut un franc?

3. Combien vaut un hectolitre?

4. Qu'est-ce qui inquiète le père Simon?

5. Quel conseil la mère Simon donne-t-elle à Louis?

6. Pourquoi le père Simon pense-t-il que « les petites bêtes » valent la peine d'être étudiées?

7. A qui le père Simon demande-t-il de l'aide?

8. L'oncle Paul pense-t-il qu'il soit possible de sauver le grain?

9. Qu'est-ce qu'il promet?

10. Quelle autre faveur le père Simon demande-t-il?

CHAPTER XIII

1. Comment reconnaît-on le coléoptère?

2. Quel est le caractère le plus frappant de la calandre?

3. Est-elle grande ?
4. De quelle couleur est-elle ?
5. Comment la calandre entre-t-elle dans le grain de blé ?
6. Combien y a-t-il d'œufs pondus dans chaque grain de blé ?
7. Est-ce toujours exact ?
8. Qu'est-ce qui sert de berceau à la larve de la calandre pendant la métamorphose ?
9. Comment l'oncle Paul sait-il que certains grains de blé ont été attaqués par les calandres ?
10. Quel est un moyen bien simple de reconnaître en quel état est le blé ?
11. Combien d'œufs un charançon produit-il dans une seule saison ?
12. Combien de blé la famille d'un seul charançon détruirait-elle en une saison ?

CHAPTER XIV

1. Quel est le moyen employé pour prévenir les ravages des calandres ?
2. Que fait-on alors pour les empêcher de revenir ?
3. Pourquoi ces méthodes n'ont-elles pas une efficacité complète ?
4. Quelle odeur avait la drogue que l'oncle Paul avait envoyé chercher ?
5. A quoi ressemble-t-elle ?
6. Comment s'appelle-t-elle ?
7. Pourquoi faut-il mettre une extrême prudence dans le maniement de ce liquide ?
8. Les charançons tués par le sulfure de carbone avaient-ils bu le sulfure de carbone ?
9. Comment cela les tue-t-il ?

10. Décrivez la méthode par laquelle l'oncle Paul a l'intention de soigner le blé de Simon.
11. Ce liquide puant abîme-t-il le blé qu'il touche?

CHAPTER XV

1. Comment s'appellent les trois ravageurs des céréales que l'oncle Paul montre aux enfants?
2. Quels sont les vrais ravageurs, les insectes sous forme de papillon ou les larves?
3. Comment la larve de l'alucite diffère-t-elle de celle du charançon?
4. A quelle épreuve peut-on soumettre le blé pour voir s'il a été attaqué par la vermine?
5. Si le blé a été attaqué par l'alucite, quel remède y a-t-il?
6. Comment diffère-t-il du remède employé au cas où il a été attaqué par le charançon?
7. De quels autres moyens se sert-on quelquefois?
8. Pourquoi ne sont-ils pas aussi satisfaisants que celui que l'oncle Paul conseille?
9. Quand l'alucite fait-elle sa ponte?
10. Qu'est-ce qui prévient le paysan que les alucites attaquent son blé?
11. Qu'est-ce qui indique qu'un tas de blé a été envahi par les chenilles ou la teigne des blés?
12. Quel est le plus sûr moyen d'éloigner ces insectes?

CHAPTER XVI

1. Quel est la principale caractéristique des teignes?
2. Quelle teigne est la plus à craindre?
3. Où voit-on souvent les petits papillons des teignes?

4. Nommez certaines des méthodes employées pour garantir des teignes les habillements de laine.

5. Quel est le meilleur et le plus sûr moyen?

CHAPTER XVII

1. Avez-vous jamais vu un hanneton?
2. Connaissez-vous le ver blanc?
3. Où en avez-vous vus?
4. Les trouvez-vous jolis?
5. Où vit le ver blanc?
6. Combien de temps vit-il là?
7. Combien de temps le hanneton vit-il généralement?
8. De quoi le ver blanc se nourrit-il?
9. Fait-il de grands ravages?

CHAPTER XVIII

1. Quelle est la seule manière de se débarrasser du hanneton?

2. Quelle grandeur a un hectare de terrain?

3. Combien pèse un kilogramme?

4. Combien de livres de vers les femmes et les enfants ont-ils recueillies dans un seul hectare?

5. Pendant quels mois faut-il chasser les hannetons?

6. Les hannetons font-ils les mêmes dégâts que les larves?

7. Pourquoi faut-il les détruire?

8. En 1868 combien de « *cents* » par « *quart* » les ramasseurs ont-ils reçu pour les hannetons?

9. Considérez-vous que le hanneton soit un sérieux fléau?

CHAPTER XIX

1. Donnez les expressions françaises qui traduisent: *grapevine, weed, thistle, vine stalk, cluster* (*of flowers or fruit*), *bud, tendril, branch* (*of a vine*), *shoot, leaf.*

QUESTIONS

2. Pourquoi Jules pense-t-il que quelque ravageur s'attaque à la vigne ?

3. Quelle explication Jean le Borgne donne-t-il des dégâts ?

4. Comment s'appelle l'insecte que Jules a trouvé sur la vigne ?

5. Où les enfants avaient ils rencontré un charançon pour la première fois ?

6. Comment reconnaît-on un charançon ?

7. A quel grand ordre tous les charançons appartiennent-ils ?

8. Pourquoi le rhynchite roule-t-il des feuilles en cigares ?

9. Cela fait-il du mal à la vigne ?

10. Comment peut-on prévenir les dévastations futures ?

11. Comment l'oncle Paul sait-il que le deuxième insecte que Jules lui a apporté n'est pas un charançon ?

12. Comment cet insecte s'appelle-t-il vulgairement ? Pourquoi ?

CHAPTER XX

1. D'après quoi les savants classent-ils les insectes ?

2. Nommez les cinq groupes de la classification des insectes.

3. Quel est le trait distinctif des coléoptères ?

4. Les papillons sont-ils des coléoptères ?

5. Comment peut-on reconnaître les scarabées ?

6. Quel insecte commun appartient à la famille des scarabées ?

7. Combien d'espèces d'insectes l'oncle Paul a-t-il déjà trouvées dans son jardin ?

8. Combien connaît-on d'espèces d'insectes ?

9. Quel nom l'oncle Paul donne-t-il constamment aux insectes ?

10. Comment l'oncle Paul justifie-t-il les noms scientifiques donnés aux insectes?

CHAPTER XXI

1. Classez les coupe-bourgeons en donnant classe, ordre, famille.
2. Pourquoi s'appellent-ils des coupe-bourgeons?
3. Dans quel but coupent-ils à demi les sommités des pousses jeunes et tendres des arbres?
4. Parmi les insectes quelle est la grande préoccupation de la mère?
5. Si la mère ne faisait pas cela, quel serait le sort des larves?
6. Comment peut-on savoir qu'un arbre fruitier est ravagé par le rhynchite conique?
7. Quelles précautions faut-il prendre à ce moment?
8. Dans quel mois est-il probable que cela se produira?

CHAPTER XXII

1. Racontez l'histoire du derviche et du grain de blé.

CHAPTER XXIII

1. Combien de temps dure une génération de pucerons?
2. Combien un puceron peut-il produire de pucerons en une seule saison?
3. Combien de terrain cette famille couvrait-elle?
4. Pourquoi les pucerons ne couvrent-ils pas la terre?
5. Comment les hommes les combattent-ils?

CHAPTER XXIV

1. Quel piège l'oncle Paul met-il dans son jardin pour les courtilières?

2. Pourquoi la courtilière s'appelle-t-elle aussi taupe-grillon?

3. Comment la courtilière ravage-t-elle sérieusement les jardins?

4. Décrivez le nid de la courtilière.

5. Comment peut-on déloger l'insecte de sa retraite?

6. A quel ordre cet insecte appartient-il?

7. Nommez trois autres insectes qui appartiennent à cet ordre.

8. Considérez-vous que la connaissance des insectes aît une valeur pratique? Pourquoi?

EXERCISES

VERB EXERCISES

BASED ON CHAPTER I

A. Learn the principal parts and the meanings of the following verbs:

venir	**faire**
tenir	**voir**
dire	**savoir**
mettre	**pouvoir**
prendre	**aller**

B. Write rapidly from dictation the past participle of each of these verbs.

C. Write for each verb the third person plural form of the past definite and of the past indefinite. (Remember that with **aller** and **venir** the auxiliary is **être**.) Work for speed as well as for accuracy.

NEGATIVES

ne . . . pas	ne . . . personne
ne . . . point	ne . . . rien
ne . . . jamais	ne . . . ni . . ni
ne . . . plus	ne . . . aucun
ne . . . que	ne . . . pas un

Study the following sentences, noticing especially word-order:

1. Ils ne savent ni lire ni écrire.
2. Qui l'a fait? Ni vous ni moi.

3. Il ne le leur a pas dit.
4. Ne les a-t-il jamais vus?
5. Elle parle de me voir.
6. Elle parle de ne pas me voir.
7. Il taille mieux que pas un.

Write in French:
1. Nobody disputes it.
2. I shall not do it any more.
3. No child has patience.
4. I have seen nothing.
5. Never shall I see you.
6. Did you ever say it?
7. He knows better than any one.
8. I knew nothing of what was passing.
9. He never fails to see me.
10. He speaks of not taking it.
11. I can neither come nor go.
12. We have not sweet peas any more.
13. The poor child took nothing.
14. I saw neither my father nor my mother.
15. He took only some cherries.

VERB EXERCISES

Based on Chapter II

A. Review the ten verbs given in Exercise I, and learn the meanings and principal parts of the following:

retenir	vouloir
devenir	paraître
convenir	apparaître
remettre	connaître
valoir	reconnaître

B. Write from dictation:

1. He will come.
2. He would come.
3. We shall hold.
4. We should hold.
5. They will say.
6. They would say.
7. I shall put.
8. I should put.
9. He will take.
10. He would do.
11. You will see.
12. You would know.
13. They will be able.
14. They would go.
15. We shall appear.
16. He will become.
17. It would be fitting.
18. They will recognize.
19. It will be worth.
20. He will put back.

ON

In the following sentences use **on**.

1. It is called the silk-worm (**le ver à soie**).
2. Scolytes are found on the elm (**l'orme**).
3. Some are found also on the oak (**le chêne**).
4. A handful (**poignée**) is thrown (**jeter**) into some water.
5. Some are found which are of a brilliant green.
6. It is always possible. (Use **pouvoir**.)
7. The zeuzère is caught (**prendre**) without difficulty.
8. They say.
9. One would say that you were not happy.
10. What is done then to prevent (**empêcher**) them from (**de**) coming back?
11. One would never see the end of it.
12. A law (**loi**) has been made in regard to (**sur**) worms.
13. One meets (**rencontre**) her everywhere.
14. You can recognize it.
15. We see that bug in June.
16. They call him Master Paul.

EXERCISES

VERB EXERCISES

Based on Chapter III

A. Learn principal parts and meanings of following verbs:

revenir	courir
provenir	devoir
sortir	naître
servir	vivre
dormir	apprendre

B. Write the present participles of the verbs in the following list from 1–10, past participles from 11–20.

1. know
2. say
3. appear
4. take
5. do
6. see
7. run
8. have
9. be
10. go
11. owe
12. live
13. learn
14. be born
15. wish
16. know
17. make
18. be
19. take
20. see

Agreement of Adjectives and Participles

Predicate adjectives agree in gender and number with the subject.

In compound forms of the verb, where the auxiliary is **être** the participle agrees with the subject; where the auxiliary is **avoir** the participle is invariable.

Exception: When the object precedes the verb, the participle agrees in gender with the object.

Study the following sentences, noticing carefully the form of the participle or adjective:

1. **Les larves sont très peu scrupuleuses.**
2. **Avez-vous trouvé la chenille? Oui, je l'ai trouvée sous l'écorce.**

3. Le vivre et le couvert sont assurés à la famille.
4. L'épingle portant l'insecte était plantée sur un bouchon.
5. Il les a déterrés trois fois.
6. La ramée des pois de senteur est dispersée, le lilas est cassé.
7. La demeure que la chenille s'était creusée.
8. Des provinces entières sont menacées.
9. L'oncle prit la chenille qu'on avait déposée dans un verre.
10. La chenille serait devenue ce papillon superbe.

Write in French:

1. My brother is happy.
2. My sisters are not happy.
3. My brother has not seen the woman.
4. My brothers have not seen the woman.
5. They have not seen her.
6. Our brother has left.
7. His sisters have left.
8. They had stayed several months.
9. They would have become unhappy.
10. She had not come back from the city.
11. Have you found your mother?
12. I found her at my uncle's.
13. They came later.
14. The woman that you saw is not my mother.

VERB EXERCISES

Based on Chapter IV

A. Learn the principal parts and the meanings of the following verbs:

EXERCISES

introduire / falloir
produire / ouvrir
réduire / permettre
conduire / promettre
mourir / soutenir

B. Write from dictation:

1. It lives.
2. He goes.
3. Go!
4. Open!
5. Permit!
6. He has promised.
7. He is dying.
8. He is dead.
9. It will be necessary.
10. It would be necessary.
11. Introducing.
12. I had known.
13. You will see.
14. I was saying.
15. They die.
16. They will come forth.
17. To sustain.
18. They take.
19. He would hold.
20. He ought.

Review the numerals up to twenty.

EN

Write in French:

1. I know nothing about it.
2. I was going to speak to you about it.
3. You will never see the end of it.
4. Let us speak of it more at length (**au long**).
5. I should never get done (**finir**) with it, if I wished to tell all.
6. The capricorne is a coléoptère. The jardinière is another.
7. I have six of them in my box.
8. Here is one of them.
9. There are three of them that fly.

10. Over there are ten of them, there twelve, there twenty!

11. Do you want to see another of them? Here it is.

12. Are there some which eat the flowers?

13. This morning I caught one, which I am going to show you.

14. There are only two of them.

15. There are some white ones.

16. I found some myself.

17. Have you some water? I have.

18. He has none of it, nor anything which approaches it.

VERB EXERCISES

Based on Chapters V and VI

A. Learn the principal parts and meanings of the following verbs:

    reprendre   **suffire**
    comprendre   **contenir**
    suivre   **battre**
    disparaître   **craindre**

B. Write from dictation the following verb-forms:

1. He will make.
2. He ought (*past def.*).
3. It would have.
4. They have.
5. They resume.
6. It has put.
7. They become.
8. They fear.
9. I was wanting.
10. He comes.
11. He took (*past def.*).
12. He has come.
13. He would be able.
14. He lives.
15. They contain.
16. They disappear.
17. He follows.
18. I have understood.
19. Following.
20. Fearing.

Prepositions

Only the most careful attention to the French, and a patient imitation of it, will enable the pupil to use prepositions idiomatically.

Commit the following phrases:

1. **Au premier coup d'œil**
2. **Au moment où**
3. **A droite — à gauche**
4. **A l'œuvre**
5. **Au plus vite**
6. **Au long**
7. **De tout temps**
8. **De tout son pouvoir**
9. **Ainsi des autres**
10. **Doué d'un appétit**
11. **Plus jeune de quelques années**
12. **Appellé du nom de larve**
13. **Frappé de mort**
14. **Retenu par un fil**
15. **De jour — de nuit**
16. **Au grand jamais**

Write in French:

1. I am blessed with a terrible appetite. I eat day and night.
2. There are my two sisters, one on the right, the other on the left of my mother.
3. I am older than you, you see, by some years.
4. He is big and fat. At first glance I did not recognize him.
5. I shall never say that, — absolutely never.
6. Follow me as soon as possible.
7. He has fought with all his might. So have others.
8. Just at the time he disappeared I was not there.
9. It is held only by a thread, but it will be enough.
10. He is always at work.
11. He speaks of it at length.
12. It is called by the name of larva.
13. It is at work all the time.

VERB EXERCISES

Write from dictation:

1. I shall not go.
2. They are going.
3. He went (*past def.*).
4. We know.
5. I shall run.
6. He was running.
7. He would run.
8. He ran (*past def.*).
9. Fearing.
10. They feared (*past def.*).
11. He was fearing.
12. He would fear.
13. Believing.
14. We do not believe.
15. I should believe.
16. I was believing.
17. They ought (*past def.*).
18. He would say.
19. He was saying.
20. Sleep!

FALLOIR — DEVOIR

Falloir and **devoir** are both translated *must*.

When *must* has the meaning *be necessary* or *need*, use **falloir**.

Notice carefully the following examples:

Il faut une maison à mon père. My father needs a house.

Il lui faut une maison. He needs a house.

Il faut mettre une extrême prudence. One must use very great prudence.

Il faut le lait de sa mère au petit chat. The kitten needs its mother's milk.

Il lui faudrait venir. He would be obliged to come.

Write in French:

1. He needs his mother.
2. They need flowers.
3. My daughter needs money.

4. He needs to go out of the house.
5. He should (**devoir**) be able to go out of there.
6. We need fresh air (**le grand air**).
7. If you need examples, here is one.
8. To guide us we need scholars (**savants**).
9. That is all that is necessary.
10. A magnifying (**grossissant**) glass is needed to (**pour**) distinguish them.
11. One must take precautions.
12. We must intervene (**intervenir**).
13. They must be burned (**brûler**).
14. It would be necessary to ask (**demander à**) the scholars that.
15. He was forced to burn them.
16. It is necessary to tell you that you are wrong.
17. That must be difficult. (Use **devoir**.)
18. That must be his father.
19. That must be curious.
20. That must have been the difficult moment.

VERB EXERCISES

A. Write from dictation:

1. We ought.
2. He will sleep.
3. I shall send.
4. I shall be.
5. He was (*past def.*).
6. He will do.
7. They have not done.
8. It would be necessary.
9. He puts.
10. I shall die.
11. I shall be able.
12. He will take.
13. Take!
14. He receives.
15. He will know.
16. Follow!
17. I shall hold.
18. He was coming.
19. We shall live.
20. They wish.

Time Phrases

B. Learn the following expressions so that you can write them from dictation promptly and accurately:

1. **Pendant la nuit**
2. **Ce matin**
3. **Hier**
4. **Demain**
5. **Aujourd'hui**
6. **Le lendemain**
7. **Bientôt**
8. **Tout à l'heure**
9. **En juillet**
10. **En un mois**
11. **Encore un an**
12. **Une semaine**
13. **Trois ans**
14. **En quatre à cinq semaines**
15. **Pendant trois à quatre jours**
16. **Dans quelques jours**
17. **Un jour**
18. **Dans l'après-midi**
19. **Dans sa dixième année**
20. **De grand matin**
21. **Le soir**
22. **En quatre jours**
23. **Chaque matin**
24. **Trois ans plus tard**
25. **En hiver**
26. **Au printemps**

Write in French the following sentences:

1. You will see him tomorrow.
2. Soon you will know the name of it.
3. I shall come back in a month.
4. We will talk of it some day.
5. If I remember, he is now (today) in his tenth year.
6. Presently you will be of another opinion (**avis**).
7. In a few days we shall go to see your uncle.
8. If I had known these things, I should have done it this morning.
9. In the spring the June bugs come.
10. That takes place (**se faire**) in the winter.
11. They came three years later than you.
12. In four or five weeks I shall send some one to hunt for you.

LE CORPS

Train yourselves to the point where you can give the following names of the various parts of the body in rapid succession, pointing as you give each name to the part of the body it describes. (You should be able to do this in less than one minute.)

la tête	l'épaule (*f.*) — *shoulder*
les cheveux (*m.*)	le dos
le front	la poitrine — *chest*
l'œil (*m.*)	le cœur
le sourcil — *eyebrow*	l'estomac (*m.*)
le nez	le bras
la bouche	le poing
la lèvre	la main
la dent	le doigt
le menton — *chin*	l'ongle (*m.*)
la joue	la jambe
la peau	le genou
l'oreille (*f.*)	le pied
la figure	le talon

Review the possessive, demonstrative, and interrogative adjectives. Write from dictation the following:

1. This leg
2. This finger-nail
3. This foot
4. These eyes
5. These hands
6. What skin!
7. My nose
8. Their heads
9. What ears!
10. Your heart
11. Our faces
12. My fingers
13. Your feet
14. His arms
15. My lip
16. His hand
17. What fists!
18. Which knee?

VERB EXERCISE

Write from dictation:

1. We have not lived.
2. Seeing.
3. They knew (*past def.*).
4. I should like.
5. He was wishing.
6. He will follow.
7. Hold! (*sing.*)
8. Hold! (*plur.*)
9. They have not come.
10. He is not coming.
11. He was holding.
12. He would hold.
13. They come.
14. I wish.
15. He will die.
16. They are able.
17. I was taking.
18. We took (*past def.*).
19. Let us do!
20. Be!

Study the following examples somewhat carefully:

Vous me rendrez un service.
Lui permettez-vous de venir quelquefois?
Il leur manquait l'expérience.
En quoi puis-je vous être utile?
Il nous promit un autre lilas.
Je vous en raconterai l'histoire.
Donnez-lui la liberté.

Write in French:

1. He has done us a great service.
2. Will you let her go into the garden with me?
3. She will not be allowed to go.
4. I do not lack experience.
5. Can we not be of use to them?
6. It was impossible for him to (**de**) come.
7. It is useless for him to say that.
8. I have promised them another of those.
9. Tell me the story which your mother told them.
10. Give me another of those.

VERB EXERCISE

Write from dictation.   (Use **est-ce que**.)

1. Do you see?
2. Have you lived?
3. Are you going?
4. Shall you be able?
5. Should you say?
6. Will he come?
7. Have they taken?
8. Do we know?
9. Shall you keep?
10. Was he putting?
11. Have they appeared?
12. Is it worth?
13. Have they not left?
14. Ought he not?
15. Were you not running?
16. Are you sleeping?
17. Would it not be necessary?
18. Will he not open?
19. Will you not permit?
20. Did they not follow?

Review *order of pronouns* in a sentence.
Commit the following examples:

> **Je vais vous le dire.**
> **Je vais le lui dire.**
> **J'allais vous en parler.**
> **J'allais leur en parler.**
> **Vous avez promis de nous le dire.**
> **Je le leur dis encore.**
> **Vous nous l'avez dit souvent.**
> **Pour me le prouver.**

Write in French:

1. You have forgotten to (**de**) tell us the name.

2. I have already spoken to you of my brother.

3. I have just (**venir de**) given you a slight idea (**une faible idée**) of it.

4. Here are my butterflies. I am going to show them to you.

5. I caught two of them myself. (Use **prendre** for *catch*.)

6. That makes (**rendre**) them precious to us.

7. My little girl loves them. I have often told you that.

8. I was going to speak to you about that.

9. It is to (**pour**) give them to her that I have come today.

10. One never sees her at our house.

IRREGULAR VERBS

USED IN THIS BOOK

Questions on the Formation of Tenses and Moods

From which of the Principal Parts are the Present Indicative and Subjunctive formed? The Imperfect Indicative? The Future?

In **aimer** and **finir** how is the Future formed from the first part?

How is the Present Conditional formed from the Future Indicative?

From which part is the Past Definite formed?

Is this true in **être, battre, craindre, écrire, faire, mourir, naître, ouvrir, tenir, vaincre, venir,** and **voir**?

Is there any resemblance between the Past Definite and the Past Subjunctive?

What resemblance is there between the Present Indicative and the Imperative?

Is this true in **avoir, être,** and **savoir**?

VERB FORMS

Pres. Inf.	Pres. Part.	Past Part.
Fut.		Past Def. Ind.
Pres. Cond.	Impf. Ind.	Past Subj.
avoir, *to have*	ayant	eu −e
aurai		eus
aurais	avais	eusse

Imper.		aie	ayons ayez	
Pres. Ind.	ai	as	a	avons avez ont
Pres. Subj.	aie	aies	ait	ayons ayez aient

Pres. Inf.	Pres. Part.	Past Part.
Fut. Ind.		Past Def. Ind.
Pres. Cond.	Impf. Ind.	Past Subj.

acquérir, *to acquire*	acquérant	acquis –e
acquerrai		acquis
acquerrais	acquérais	acquisse

Present Indicative

acquiers –quiers –quiert –quérons –quérez –quièrent

Imperative

acquiers   acquérons acquérez

Present Subjunctive

acquière –quières –quière –quérions –quériez –quièrent

aller, *to go*	allant	allé –e
irai		allai
irais	allais	allasse

Pres. Imper.	va	allons allez
Pres. Ind.	vais vas va	allons allez vont
Pres. Subj.	aille ailles aille allions alliez aillent	

battre, *to beat* (also abattre, combattre)	battant	battu –e
battrai		battis
battrais	battais	battisse

Pres. Imper.	bats	battons battez
Pres. Ind.	bats bats bat	battons battez battent
Pres. Subj.	batte battes batte battions battiez battent	

Pres. Inf.	Pres. Part.	Past Part.
Fut. Ind.		Past Def. Ind.
Pres. Cond.	Impf. Ind.	Past Subj.

boire, *to drink*   buvant   bu –e
boirai   bus
boirais   buvais   busse

Pres. Imper.   bois   buvons buvez
Pres. Ind.   bois bois boit buvons buvez boivent
Pres. Subj.   boive boives boive buvions buviez boivent

conduire, *to lead* (also   conduisant   conduit –e
    détruire, introduire,
    produire, réduire,
    traduire, construire,
    nuire)
conduirai   conduisis
conduirais   conduisais   conduisisse

Pres. Imper.   –duis   –duisons –duisez
Pres. Ind.   conduis –duis –duit –duisons –duisez –duisent
Pres. Subj.   conduise –duises –duise –duisions –duisiez –duisent

connaître, *to know* (also   connaissant   connu –e
    reconnaître, paraître,
    apparaître, compa-
    raître, disparaître,
    reparaître)
connaîtrai   connus
connaîtrais   connaissais   connusse

PRESENT INDICATIVE

connais   –nais   –naît   –naissons   –naissez   –naissent

IMPERATIVE

         –nais   –naissons   –naissez

PRESENT SUBJUNCTIVE

connaisse   –naisses   –naisse   –naissions   –naissiez   –naissent

Pres. Inf.	Pres. Part.	Past Part.
Fut. Ind.		Past Def. Ind.
Pres. Cond.	Impf. Ind.	Past Subj.

courir, *to run* (also accourir, parcourir, recourir)   courant   couru −e
courrai   courus
courrais   courais   courusse

Imper.   cours   courons courez
Pres. Ind.   cours cours court courons courez courent
Pres. Subj.   coure coures coure courions couriez courent

craindre, *to fear* (also atteindre, réjoindre)   craignant   craint −e
craindrai   craignis
craindrais   craignais   craignisse

Imperative
crains   craignons   craignez

Present Indicative
crains   crains   craint craignons   craignez   craignent

Present Subjunctive
craigne   craignes   craigne craignions   craigniez   craignent

croire, *to believe*   croyant   cru −e
croirai   crus
croirais   croyais   crusse

Imper.   crois   croyons croyez
Pres. Ind.   crois crois croit croyons croyez croient
Pres. Subj.   croie croies croie croyions croyiez croient

cueillir, *gather*   cueillant   cueilli −e
cueillerai   cueillis
cueillerais   cueillais   cueillisse

Imper.   cueille   cueillons cueillez
Pres. Ind.   cueille −es −e cueillons   −ez cueillent
Pres. Subj.   cueille −es −e cueillions   −iez cueillent

VERBS

Pres. Inf.	Pres. Part.	Past Part.
Fut. Ind.		Past Def. Ind.
Pres. Cond.	Impf. Ind.	Past Subj.

devoir, *to owe*	devant	dû, *due*
devrai		dus
devrais	devais	dusse

Imper. wanting
Pres. Ind. dois dois doit devons devez doivent
Pres. Subj. doive doives doive devions deviez doivent

dire, *to say*	disant	dit −e
dirai		dis
dirais	disais	disse

Imper.   dis   disons dites
Pres. Ind. dis dis dit disons dites disent
Pres. Subj. dise dises dise disions disiez disent

dormir, *to sleep* (also **partir**,	dormant	dormi
sentir, servir, sortir)		
dormirai		dormis
dormirais	dormais	dormisse

Imperative

dors   dormons   dormez

Present Indicative

dors   dors   dort   dormons   dormez   dorment

Present Subjunctive

dorme   dormes   dorme   dormions   dormiez   dorment

Pres. Inf.	Pres. Part.	Past Part.
Fut. Ind.		Past Def. Ind.
Pres. Cond.	Impf. Ind.	Past Subj.

écrire, *to write* écrivant écrit –e
écrirai   écrivis
écrirais   écrivais   écrivisse

Imper.   écris   écrivons écrivez
Pres. Ind.   écris   écris   écrit   écrivons   écrivez   écrivent
Pres. Subj. écrive écrives écrive écrivions écriviez écrivent

envoyer, *to send*   envoyant   envoyé –e
enverrai   envoyai
enverrais   envoyais   envoyasse

Imper.   –voie   –voyons –voyez
Pres. Ind.   envoie –voies –voie –voyons –voyez –voient
Pres. Subj. envoie –voies –voie –voyions –voyiez –voient

être, *to be*   étant   été
serai   fus
serais   étais   fusse

Imper.   sois   soyons   soyez
Pres. Ind.   suis es est sommes êtes   sont
Pres. Subj. sois sois soit soyions soyiez soient

faire, *to make, do*   faisant   fait –e
ferai   fis
ferais   faisais   fisse

Imper.   fais   faisons   faites
Pres. Ind.   fais   fais   fait   faisons   faites   font
Pres. Subj. fasse fasses fasse fassions fassiez fassent

falloir, *must*   wanting   fallu
il faudra   il fallut
il faudrait   il fallait   il fallût

Pres. Ind. il faut   Pres. Subj. il faille   Imper. wanting

VERBS

Pres. Inf.	Pres. Part.	Past Part.
Fut. Ind.		Past Def. Ind.
Pres. Cond.	Impf. Ind.	Past Subj.

fuir, *to flee* (also **s'enfuir**)   fuyant   fui −e
fuirai   fuis
fuirais   fuyais   fuisse

Imper.	fuis	fuyons fuyez			
Pres. Ind.	fuis	fuis	fuit	fuyons	fuyez	fuient
Pres. Subj.	fuie	fuies	fuie	fuyons	fuyiez	fuient

lire, *to read*   lisant   lu −e
lirai   lus
lirais   lisais   lusse

Imper.	lis	lisons lisez			
Pres. Ind.	lis	lis	lit	lisons	lisez	lisent
Pres. Subj.	lise	lises	lise	lisions	lisiez	lisent

mettre, *to put* (also **admet-**   mettant   mis −e
    tre, commettre, permettre, promettre, compromettre, remettre, soumettre)
mettrai   mis
mettrais   mettais   misse

Imper.	mets	mettons mettez			
Pres. Ind.	mets	mets	met	mettons	mettez	mettent
Pres. Subj.	mette	mettes	mette	mettions	mettiez	mettent

mourir, *to die*   mourant   mort −e
mourrai   mourus
mourrais   mourais   mourusse

Imper.	meurs	mourons mourez			
Pres. Ind.	meurs	meurs	meurt	mourons	mourez	meurent
Pres. Subj.	meure	meures	meure	mourions	mouriez	meurent

Pres. Inf. Fut. Ind. Pres. Cond.	Pres. Part. Impf. Ind.	Past Part. Past Def. Ind. Past Subj.
mouvoir, *to move* mouvrai mouvrais	mouvant mouvais	mû, mue mus musse

Imper.   meus   mouvons -ez
Pres. Ind. meus   meus   meut   mouvons -ez meuvent
Pres. Subj. meuve meuves meuve mouvions -iez meuvent

naître, *to be born* naîtrai naîtrais	naissant naissais	né –e naquis naquisse

Imper.   nais   naissons -ez
Pres. Ind. nais   nais   naît   naissons -ez naissent
Pres. Subj. naisse naisses naisse naissions -iez naissent

ouvrir, *to open* (also cou- vrir, découvrir, entr'ou- vrir, offrir, souffrir) ouvrirai ouvrirais	ouvrant ouvrais	ouvert –e ouvris ouvrisse

Imper.   ouvre   ouvrons ouvrez
Pres. Ind. ouvre ouvres ouvre ouvrons ouvrez ouvrent
Pres. Subj. ouvre ouvres ouvre ouvrions ouvriez ouvrent

plaire, *to please* plairai plairais	plaisant plaisais	plu plus plusse

Imper.   plais   plaisons plaisez
Pres. Ind. plais plais plaît plaisons plaisez plaisent
Pres. Subj. plaise plaises plaise plaisions plaisiez plaisent

VERBS

Pres. Inf.	Pres. Part.	Past Part.
Fut. Ind.		Past Def. Ind.
Pres. Cond.	Impf. Ind.	Past Subj.

pleuvoir, *to rain*	pleuvant	plu
il pleuvra		il plut
il pleuvrait	il pleuvait	il plût

Pres. Ind. il pleut   Pres. Subj. il pleuve

pouvoir, *to be able*	pouvant	pu
pourrai		pus
pourrais	pouvais	pusse

Pres. Ind. puis   peux   peut   pouvons   pouvez   peuvent
              or peux
Pres. Subj. puisse puisses puisse puissions puissiez puissent

prendre, *to take* (also apprendre, comprendre, entreprendre, reprendre, surprendre)	prenant	pris –e
prendrai		pris
prendrais	prenais	prisse

Imper.   prends   prenons prenez
Pres. Ind.   prends prends prend prenons prenez prennent
Pres. Subj. prenne prennes prenne prenions preniez prennent

recevoir, *to receive* (also apercevoir)	recevant	reçu –e
recevrai		reçus
recevrais	recevais	reçusse

Imper.   –çois   –cevons   –cevez
Pres. Ind.   reçois –çois –çoit –cevons –cevez –çoivent
Pres. Subj. reçoive –çoives –çoive –cevions –ceviez –çoivent

152 LES RAVAGEURS

Pres. Inf.	Pres. Part.	Past Part.
Fut. Ind.		Past Def. Ind.
Pres. Cond.	Impf. Ind.	Past Subj.

rire, *to laugh* (also **sou-**   riant   ri
rire)
rirai   ris
rirais   riais   risse

Imper.   ris   rions riez
Pres. Ind.   ris ris rit rions riez rient
Pres. Subj.   rie ries rie riions riiez rient

savoir, *to know*   sachant   su −e
saurai   sus
saurais   savais   susse

Imper.   sache   sachons sachez
Pres. Ind.   sais sais sait savons savez savent
Pres. Subj.   sache saches sache sachions sachiez sachent

suffire, *to suffice*   suffisant   suffi
suffirai   suffis
suffirais   suffisais   suffisse

Imper.   suffis   suffisons suffisez
Pres. Ind.   suffis suffis suffit suffisons suffisez suffisent
Pres. Subj.   suffise suffises suffise suffisions suffisiez suffisent

suivre, *to follow*   suivant   suivi −e
suivrai   suivis
suivrais   suivais   suivisse

Imper.   suis   suivons suivez
Pres. Ind.   suis suis suit suivons suivez suivent
Pres. Subj.   suive suives suive suivions suiviez suivent

VERBS

Pres. Inf.	Pres. Part.	Past Part.
Fut. Ind.		Past Def. Ind.
Pres. Cond.	Impf. Ind.	Past Subj.

tenir, *to hold* (also appar-   tenant   tenu –e
tenir, convenir, main-
tenir, obtenir, retenir,
soutenir)
tiendrai   tins
tiendrais   tenais   tinsse

Imper.   tiens   tenons tenez
Pres. Ind. tiens tiens tient tenons tenez   tiennent
Pres. Subj. tienne tiennes tienne teniens teniez   tiennent

vaincre, *to conquer* (also   vainquant   vaincu –e
  convaincre)
vaincrai   vainquis
vaincrais   vainquais   vainquisse

Imper.   vaincs   -quons -quez
Pres. Ind. vaincs vaincs vainc   -quons -quez -quent
Pres. Subj. vainque vainques vainque -quions -quiez -quent

valoir, *to be worth*   valant   valu –e
vaudrai   valus
vaudrais   valais   valusse

Imper.   vaux   valons valez
Pres. Ind. vaux   vaux   vaut valons valez valent
Pres. Subj. vaille vailles vaille valions valiez vaillent

vendre, *to sell*   vendant   vendu –e
vendrai   vendis
vendrais   vendais   vendisse

Imper.   vends   vendons vendez
Pres. Ind. vends vends vend vendons vendez vendent
Pres. Subj. vende vendes vende vendions vendent vendent

Pres. Inf.	Pres. Part.	Past Part.
Fut. Ind.		Past Def. Ind.
Pres. Cond.	Impf. Ind.	Past Subj.

venir, *to come* (also **convenir, devenir, prévenir, provenir, revenir, parvenir, souvenir, survenir**) **venant** **venu** –e

viendrai **vins**
viendrais **venais** **vinsse**

Imper.　　　　　　viens　　　　　venons venez
Pres. Ind.　　viens viens vient venons venez viennent
Pres. Subj.　vienne viennes vienne venions veniez viennent

vivre, *to live* **vivant** **vécu** –e
vivrai **vécus**
vivrais **vivais** **vécusse**

Imper.　　　　　　vis　　　　vivons vivez
Pres. Ind.　　vis vis vit vivons vivez vivent
Pres. Subj.　vive vives vive vivions viviez vivent

voir, *to see* (also **entrevoir, prévoir**) **voyant** **vu** –e
verrai **vis**
verrais **voyais** **visse**

Imper.　　　　　　vois　　　　voyons voyez
Pres. Ind.　　vois vois voit voyons voyez voient
Pres. Subj.　voie voies voie voyions voyiez voient

vouloir, *to wish* **voulant** **voulu** –e
voudrai **voulus**
voudrais **voulais** **voulusse**

Imper.　　　　　　veux　　　　　voulons voulez
Pres. Ind.　　veux veux veut voulons voulez veulent
Pres. Subj.　veuille veuilles veuille voulions vouliez veuillent

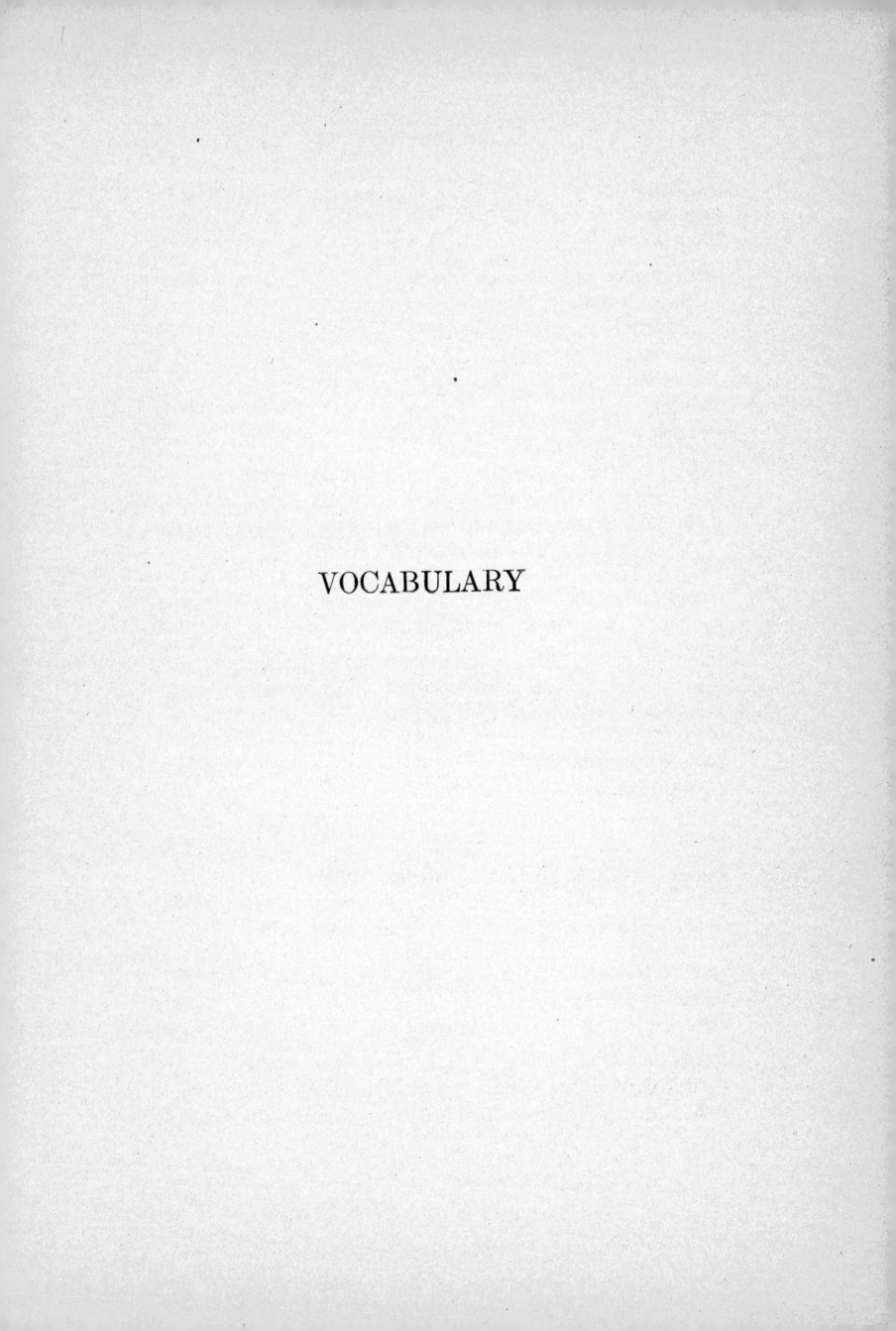

VOCABULARY

ABBREVIATIONS

abbrev.	abbreviation	*impf.*	imperfect
adj.	adjective	*ind.*	indicative
adv.	adverb	*inf.*	infinitive
aux.	auxiliary	*intj.*	interjection
compar.	comparative	*m.*	masculine
cond.	conditional	*n.*	used as noun
conj.	conjunction	*part.*	participle
def.	definite	*pl.*	plural
f.	feminine	*pres.*	present
fut.	future	*subj.*	subjunctive
imper.	imperative	*syll.*	syllable
impers.	impersonal	*vocab.*	vocabulary

Pronunciation, derivation, origin, or anomalies in verb formation are indicated in brackets. The pronunciation is shown by respelling, the letters here having their French values. Note especially: ŋ is the sign of a nasal vowel (**m** however is to be pronounced); consonants which the student might take for silent letters are doubled; mute **e** is retained, a full **e** having either the acute or the grave accent.

In the words preceded by the sign † the **l** or **ll** after the **i** should be given the " liquid " sound, for example **fille**; here the **ll** sound is not heard. The same sign is used before words containing **gn**, and shows that the **gn** is to be sounded like *ny* in *canyon*.

In the words preceded by the sign ‡ the **ch** has the sound of **k**.

VOCABULARY

A

à to, in, into, at, with, within, by; of; till; per; according to

abandonner to abandon, desert

abattre to knock; cut off; s'— to light, settle

abdomen *m.* abdomen, stomach

†abeille *f.* bee

abject [ct *sounded*] –e lowly

abondance *f.* abundance

abondant –e abundant, profuse

abord *m.* access; d'— at first; in the first place

abréger [è *before mute syll. exc. cond. and fut.*] to shorten, reduce

abreuvé –e watered; fed

abri *m.* retreat, hiding place; à l'— de hidden from, safe from; out of sight of

abricotier *m.* apricot tree

abriter to hide, protect

absinthe *f.* wormwood; absinthe

absolu –e absolute

absolument absolutely

accabler to overwhelm

accélérer [è *before mute syll. exc. cond. and fut.*] to hasten

accentué –e marked

accident *m.* chance, accident

accommoder (de) to adapt (to)

accorder to grant, allow

accourir to run up, come

accroché –e hanging

accrocher to fasten

accroissement *m.* increase; increment

s'accroître to increase, make grow

s'accroupir to crawl

†accueil *m.* reception; **faire** l'— to give the reception

acharné –e ruthless, unremitting, relentless

acheter [chè *before mute syll.*] to buy

achever [chè *before mute syll.*] (de) to finish; s'— to be finished

acier *m.* steel

acquérir to acquire, get; s'— to be acquired

actif, **active** vigorous

action *f.* act, acting
activer to encourage, quicken
activité *f.* activity
adieu *intj.* good-by
admettre to admit, grant
admirable admirable
admirablement admirably
admiration *f.* admiration; **être en — devant** to admire
admirer to admire
s'adonner to give oneself up
adopter to adopt
s'adoucir to moderate, grow warmer
adroit –e skillful
affaire *f.* affair, work, business, job; matter, piece of work; **se tirer d'—** to take care of itself, get out of danger
affamé –e hungry, famished
affiche *f.* notice, poster, bulletin
affirmer to state, affirm
affreux, affreuse hideous, frightful
affronter to face
afin de to, so as to, in order to; **— que** to
Afrique *f.* Africa
âge *m.* age
agglutiné –e stuck together
agglutiner to glue together
agile quick
agir to act; **s'— de** to be a question of, be under discussion

agitation *f.* movement, disturbance, stirring
agricole agricultural
agriculteur *m.* farmer
agriculture *f.* farming
ah oh, ah!
aide *f.* aid; **venir en — à** to help
aider to help
aient *see* avoir
aigrelet, aigrelette acid, sour, slightly sour
aigrette *f.* tuft
aigu –ë sharp, shrill
†**aiguille** *f.* needle; spike
aile *f.* wing
†**ailleurs** elsewhere; **d'—** in other respects, besides, either
aimé –e loved
aimer to love, like; **— mieux** to prefer
aîné –e older
ainsi thus; **— que** like, as; **— de suite** so forth, so on
air *m.* air; manner; appearance; tune
ajuster to fit, adjust; tune
alentours *m. pl.* vicinity
alerte nimble, quick
alimentation *f.* feeding, eating
alimenter to feed
allée *f.* walk
aller to go, walk; **s'en —** to go (away), be gone, disappear, leave; **— au-devant de** to go to meet; **— chercher** to

VOCABULARY

find, reach; — **bien** to be well
allongé –e extended, spread
allonger [ge *before* **a** *and* **o**] to extend, lengthen; **s'**— to become longer
allumé –e lighted
allumer to light; **s'**— to be kindled
allumette *f.* match
allusion *f.* allusion
aloès *m.* aloes
alors then; — **que** when, while; but
altération *f.* disorder
alucite *f.* alucite, plume moth
amande *f.* almond
amasser to acquire, accumulate
Ambroisine *f.* Ambroisine
ambulant –e walking
amener [mè *before mute syll.*] to lead, bring
amer, amère bitter
ameublir to stir
ami *m.* friend
ami –e friendly
amincir [ç *before* **a** *or* **o**] to taper
amoindrir to lessen
ampleur *f.* largeness, size
amplifié –e made larger, enlarged
amplifier to enlarge
amusement *m.* amusement
amuser to amuse; **s'**— to amuse oneself, enjoy oneself; **s'**— **de** to have a good time with, be amused by, enjoy oneself with
an *m.* year
analogue similar
Anglais *m.* Englishman; *pl.* English
animal [*pl.* **animaux**] *m.* animal
animal –e animal
animation *f.* animation
année *f.* year
antenne *f.* antenna, feeler
apercevoir to see; **s'**— **de to** notice, become aware of
s'en — to notice it
apparaître to appear
apparemment apparently, evidently
apparence *f.* appearance; look
apparent –e apparent
apparition *f.* vision; appearance
appartement *m.* room
appartenir to belong
appeler [ll *before mute syll.*] to call, name; **s'**— to be called
appendu –e hung
appétit *m.* appetite, taste
applicable applicable
appliqué –e at work; folded
appliquer to apply; attach
apporter to bring
appréhension *f.* apprehension, misgiving
apprendre (à) to learn; teach, tell; **s'**— to be learned

apprenti *m.* apprentice
appris *see* **apprendre**
approchant –e like (it)
approcher to hold near; s'— (de) to come near (to), approach
appui *m.* support; à la hauteur d'— breast high
âpre sharp, acid
après after; d'— by, according to, following
après-midi *m.* afternoon
âpreté *f.* hardness; hard place
apte (à) suited (to *or* for)
†**araignée** *f.* spider
arbre *m.* tree
abrisseau [*pl.* –x] *m.* bush
arbuste *m.* shrub, bush
ardoise *f.* slate
arête *f.* angle, corner
argent *m.* silver; money
argenté –e silvery
argus [s *like* ss] *m.* argus
aride arid, dry
arithmétique *f.* arithmetic
Arlequin *m.* clown
Arles Arles (*city on the Rhone*)
armé –e armed, equipped
armoire *f.* wardrobe, clothes closet
armoise *f.* wormwood
armure *f.* armor
aromatique aromatic
arpent *m.* acre
arrachement *m.* tearing, stripping

arracher (à) to tear, tear off, pull up
arrangé –e arranged
arrangement *m.* arrangement
arrêter to arrest, stop; s'— to stop, come to a stop, linger
arrière back; en — back, backwards, behind; en — de in the back part of, behind; *m.* back part
arrivée *f.* arrival
arriver to arrive, come, get there; happen; succeed
arrondi –e round, rounded
arrosage *m.* sprinkling, watering
arroser to water, sprinkle, moisten
arrosoir *m.* sprinkling can
art *m.* art
artistement artistically
ascendance *f.* ancestry
aspect [aspè, aspèk *before a vowel*] *m.* appearance, sight
aspersion *f.* spraying
assez enough, sufficiently; rather
assidu –e industrious, zealous
assiette *f.* plate
assis –e seated, sitting
associer to unite
assuré [de *or* à] –e assured (of), sure (of)
atmosphère *f.* air, atmosphere
attablé –e feeding
attaché –e fastened, bound; stuck

VOCABULARY

attacher to fasten; **s'—** to stick, cling
attaque *f.* attack
attaqué –e attacked
attaquer *and* **s'— à** to attack
attarder to hold back, remain
atteindre to reach, get, attain
attelabe *m.* weevil
attelabien *m.* attelabian; *adj.* weevil-like
attelage *m.* team, vehicle, conveyance
attendre (à) to wait (for), expect, await
attentif, attentive attentive, close
attention *f.* attention
attentivement closely, attentively
attiré –e attracted
attirer (sur) to attract (to), draw, bring
attouchement *m.* touch
au *contraction for* **à le**
aube *f.* dawn; **la première —** earliest dawn
aubépine *f.* hawthorn
aucun –e any, anyone; **ne ... — no**
au-dessous (de) below
au-dessus (de) above, over
augmenter to increase
aujourd'hui today
auquel *see* **lequel**
aurore *m.* gold (color); *f.* dawn

aussi too, also; consequently; **— ... que** as ... as
aussitôt immediately, as soon as; **— que** as soon as; **— ... —** no sooner ... than
autant as much, so much, as many, as far, as long; **d'— plus** the more (so); **— ... que** as ... as
autour (de) around
autre other; **de temps à —** from time to time; **d'—s** some, some others
autrefois once, formerly
aux *contraction for* **à les**
auxiliaire *m.* aid, helper
auxquelles *see* **lequel**
avance *f.* advance; **par —** in advance
avancé –e advanced
avancer [ç *before* **a** *and* **o**] *and* **s'—** to advance, go
avant (de) before; within, for; in; ahead; **— que** before; **en —** forward, toward the front; **de l'—** forward
avantageusement to good advantage
avant-hier day before yesterday
avec with
avenir *m.* future
averse *f.* downpour
avertir to inform, tell, say, give notice
aveuglé –e blinded

avis *m.* opinion; **m'est —** my opinion is
aviser (à) to think (about); **s'— (de)** to take a notion, bethink oneself, think of
avoine *f.* oats
avoir to have; **— lieu** to take place; **— beau** vainly; **il y a** there is, there are, ago; **il n'y en a pas** there's nothing to it
avoir *m.* property
avril *m.* April
azur *m.* blue

B

†**babillage** *m.* babble, prattle, chatter
bacchus [s *sounded*] *adj.* of the vine, vine, grape
baguette [u *silent*] *f.* wand
baisser to lower; bow
bal *m.* dance
bande *f.* band, strip
barbe *f.* beard; **dans sa —** secretly, to himself
†**barbouiller** to soil
bariolé –e variegated
barré –e barred, marked with bars
barrer to bar
bas *m.* stocking
bas, basse low; early; **de —** from below; **d'en —** below
base *f.* base
bâti –e built
bâton *m.* club, stick

battre to beat, strike, throb; **— le briquet** to strike a light with flint and steel
battue *f.* beating party
bavé –e spun
baver to masticate; spin
beau *m.* beauty; advantage
beau (bel), belle [*pl.* **beaux (bels), belles**] beautiful, fine; **avoir —** to be in vain to, vainly; **faire le —** to make a display
beaucoup much, many
bec *m.* beak; jet, flame
becquée *f.* beakful
bedaine *f.* paunch, body
bel *see* **beau**
belle *see* **beau**
berceau [*pl.* **berceaux**] *m.* cradle
†**besogne** *f.* task
besoin *m.* need, want; **avoir — de** to need; **au —** when needed
bestiole *f.* little creature
bête *f.* animal, creature, beast
betterave *f.* sugar beet
bien *m.* good; property, farm
bien well; quite, surely; very, very much; perhaps; **— de** many; **eh —** well, very well; **venir à —** to go on successfully
bien-aimé –e dear, beloved
bientôt soon
bizarre fantastic, odd
blanc, blanche white
blanc *m.* white (color)

VOCABULARY 163

blanchâtre whitish
blé *m.* wheat
blessure *f.* injury
bleu –e blue
bleu *m.* blue (color)
blottir to hide
boire to drink
bois *m.* wood; forest, firewood; lumber
boiserie *f.* article of wood, woodwork
boisson *f.* drink, beverage
boîte *f.* box
bombance *f.* feeding, gorging, gluttony
bon, bonne (pour) good (to), cordial, kind
bon *m.* good; good one; à quoi — of what use (is it)?
bonasse simple, innocent, silly, foolish
bond *m.* leap, bound
bonde *f.* bung
bonheur *f.* happiness; **par —** fortunately
bonté *f.* goodness, kindness
bord *m.* edge, rim
bordant –e bordering
bordé –e bordered
bordure *f.* edging, border; hedge
†**borgne** one-eyed
borner to limit; **se —** to stop
bouche *f.* mouth
bouché –e corked
bouchée *f.* mouthful
boucher to cork, stop up

bouchon *m.* cork
bouclé –e curled
bouger [ge *before* **a** *and* **o**] to move, stir
boule *f.* ball
bouleverser to overwhelm, upset, destroy, overthrow, flatten
bourdonnant –e buzzing
bourdonnement *m.* hum, buzzing
bourdonner to buzz, hum
bourgeon [e *silent*] *m.* bud, shoot (of a vine)
bourre *f.* wad, plug, wadding
bourré –e stuffed, filled
bourrer to stuff
bourse *f.* purse
boussole *f.* compass
bout *m.* end, tip, bit
†**bouteille** *f.* bottle
boutique *f.* shop, store
bouton *m.* button, bud; **en —** in bud
brachine *m.* bombardier beetle
brachiniens *m. pl.* brachiniæ
branche *f.* branch, limb
branchu –e branching
bras *m.* arm
brassée *f.* armful
brave good, worthy
braver to defy
bref in short
†**brillant** –e brilliant, shining, dazzling
brin *m.* blade, strand; bit; sprig

†**brindille** *f.* branch; *pl.* brush
briquet *m.* steel, flint and steel
briser to break
bronze *m.* bronze
brouter to browse, eat
bruire to rustle, make a noise
bruit *m.* noise, commotion; excitement; notoriety
brûler to burn
brun *m.* brown (color)
brun –e brown
brusquement abruptly
bruyère *f.* heath, heather
bu *see* **boire**
buis *m.* boxwood
but *m.* goal, end; purpose

C

ça that, there
cacher (à) to hide (from); **se —** to hide, be hidden
cacheté –e sealed
cachette *f.* hiding place
café *m.* coffee; **— au lait** coffee with milk in it
calamiteux, calamiteuse disastrous
calandre *f.* weevil
calcul *m.* calculation, computation; ciphering
calculateur *m.* calculator
calme quiet
calotte *f.* skullcap; dome, scale, cap
†**campagne** *f.* country; field, agricultural district

camphre *m.* camphor
canal *m.* channel; throat
canne *f.* walking stick
canton *m.* county
capacité *f.* capacity
cap *m.* head
capricorne *m.* beetle
captif *m.* captive
capture *f.* capture
car for, as, because
carabe *m.* carnivorous beetle
caractère *m.* character, characteristic; peculiarity
caresser to caress
carmin *m.* carmine
carmin –e carmine, red
carnivore carnivorous
carré –e square
carré *m.* square; bed, plot, patch
carrément squarely
carrosse *m.* coach, carriage
carton *m.* pasteboard
cas *m.* case; condition
case *f.* square, spot
casque *m. and* **casquette** *f.* helmet, cap
cassé –e broken
casser to break
catéchisme *m.* catechism
cause *f.* cause; **à — de** because of
causer to talk; cause
causerie *f.* conversation
cave *f.* cellar; lair
caverneux, caverneuse hollow
cavité *f.* hollow

ce (cet), cette [*pl.* **ces**] this, that; he, she, it; — **qui** what, which
ceci this
céder [**cè** *before mute syll.*] to yield
ceinture *f.* belt
cela that
céleste celestial, sky
celle(s) *see* **celui**
cellule *f.* cell
celui, celle [*pl.* **ceux, celles**] that, the one; it, he, she
celui-ci, celle-ci the latter, the other
cendré –e ashy
†**Cendrillon** *f.* Cinderella
cent hundred
centimètre *m.* centimeter
central –e central
centre *m.* center
centuple a hundred times
cep *m.* stalk
cependant and yet, still, however; already; meanwhile
cérambycidés *m. pl.* cerambycidæ
cerambyx *m.* cerambyx, musk beetle
cercle *m.* circle
cerclé –e circled, surrounded
céréale *f.* cereal, grain
cerf *m.* stag
cerf-volant *m.* stag beetle
cerise *f.* cherry
cerisier *m.* cherry tree

certain –e certain
certainement certainly
cesser to cease
c'est-à-dire that is (to say)
cet *see* **ce**
cétoine *f.* floral beetle; — **dorée** rose beetle
ceux *see* **celui**
chacun –e each, every
chair *f.* flesh, meat, pulp; — **de poule** gooseflesh
chaleur *f.* heat
chamarré –e trimmed, embroidered
chambrée *f.* room, messroom
champ *m.* field
†**champignon** *m.* mushroom
changement *m.* change
changer [**ge** *before* **a** *and* **o**] to change; **se** — to change, be changed
chant *m.* song
chanter to sing, chant; coo
chapeau [*pl.* –**x**] *m.* hat
chapitre *m.* chapter
chaque each
charançon *m.* weevil
charbon *m.* carbon
chardon *m.* thistle
charge *f.* burden
charger [**ge** *before* **a** *and* **o**] to load; intrust; **se** — **de** to take charge of, assume the task of, undertake
chariot *m.* wagon, cart; **à pleins** —**s** by the wagonload

charmer to charm, make pleasant
charrue *f.* plow
chasse (à) *f.* hunt *or* search (for); **de —** hunting; **faire la — à** to hunt
chasser to drive away, hunt
chat *m.* cat
châtain –e chestnut-colored, reddish brown
château [*pl.* –x] *m.* castle, manor house, château
chaud –e hot, warm
chaussé –e shod
chaux *f.* lime; **— vive** quicklime
chef *m.* head; chief, leader
chemin *m.* road; entrance; **— de fer** railway
cheminée *f.* fireplace, mantel
chêne *m.* oak
†**chenille** *f.* caterpillar, worm
cher, chère dear; **ma chère** my dear
chercher to seek, get, hunt for; **aller —** to find, reach, come to
cheval [*pl.* **chevaux**] *m.* horse
cheveu [*pl.* –x] *m.* hair
chez at the home of, at . . . 's home, among, at, by, in (to), to *or* at the shop of, to *or* at . . . 's; with
chiffonné –e crumpled, rumpled
chiffre *m.* figure, total, amount
choir to fall

choisir to choose
chose *f.* thing; **grand'—** much of anything
chou [*pl.* **choux**] *m.* cabbage
choyer to pamper, cherish
‡**chrysalide** *f.* chrysalis
chuchoter to whisper
chut [t *sounded*] softly there; there; there, there; be still
ciel *m.* sky, heaven
cigale *f.* locust
cigare *m.* cigar
cinq five
cinquantaine *f.* fifty or so
cinquante fifty
cinquième fifth
circulairement in a circle, around
circuler to move, progress
ciseaux *m. pl.* scissors
citer to refer to, mention
†**citrouille** *f.* pumpkin
claie *f.* screen, frame, wattle
clair –e clear
clairvoyant –e clear-sighted
clarté *f.* light
classe *f.* class, school
classer to class, classify
classification *f.* classification
cliquetis *m.* clicking, noise
coccinelle *f.* ladybird
cocher *m.* driver, cabman
cocon *m.* cocoon
cœur *m.* heart; **le — gros** with heavy heart
†**cogner** to knock, beat

coin *m.* corner
coléoptère *m.* beetle
colère *f.* (fit of) anger
coller to paste, glue; se — to cling
collet *m.* collar, cape
coloration *f.* coloring
coloré –e colored
colza *m.* colza, coleseed, rape (-seed)
combattre to combat
combinaison *f.* combination
comble full, heaping
comble *m.* top, climax
commandeur *m.* commander
comme like, as, when, as if
commencement *m.* beginning, start
commencer [ç *before* a *and* o] to begin
comment how
commerce *m.* commerce, trade
commettre to commit
commis *see* commettre
commode (pour) convenient
commodément conveniently
commun –e common
commune *f.* township, town
communication *f.* communication, transportation
communiquer to communicate, give; — avec to lead into
†compagne *f.* mate
comparable comparable
comparaison *f.* comparison; en — de in comparison with

complet, complète complete, perfect; full
complètement completely
se compliquer to become involved
comporter to admit of; se — to conduct oneself, act
composer to make, form, constitute; se — to be composed
comprendre to understand; include
compris(e) *see* comprendre
compromettre to compromise; mortgage; injure
compte [koɲ-te] *m.* count, number; tenir — to take account; sur leur — about them; sur le — de about
compter [koɲ-té] to count; reckon; consider
comté [koɲ-té] *m.* county
concerner to concern
concours *m.* aid, coöperation
condition *f.* condition, circumstance
conduire to lead, conduct; manage, run; se — to act; move about, find one's way; be driven
conduit *m.* channel, gallery, tunnel, burrow; tube
confection *f.* making, preparation
confier to entrust, trust; believe

confondre to confuse; **se —
(par)** to be confused (with)
confondu –e confused, amazed
conformation *f.* formation
conformé –e shaped
confusion *f.* confusion
conique conical
connaissance *f.* acquaintance
connaisseur *m.* judge, expert
connaître to know, be *or* become
acquainted with; **se —** to be
recognized
connu –e known; *see* **connaître**
consacrer to devote
conscience *f.* consciousness
†**conseil** *m.* counsel, advice
†**conseiller** to advise
conséquence *f.* consequence
conservation *f.* preservation
conserver to preserve
considérable large, extensive;
pretentious
consistance *f.* formation, firmness
consister (en) to consist (of);
— à to consist in, be, consist
of
consolé –e (de) consoled (for)
consoler (de) to console (for)
constater to ascertain, verify
constituer to form
construction *f.* building; making; **de — pour** for the
making of
construire to build
consulter to consult, refer to

consumer to use up; **se —** to
be consumed
contact *m.* contact, touch
conte *m.* story
contenir to contain, be
content (de) –e happy, pleased
(with)
contenter to satisfy; **se — (de)**
to be satisfied (with)
contenu *m.* contents
contenu –e contained
contester to dispute
contient *see* **contenir**
continent *m.* continent
continu –e continuous
continuel –le constant
continuer (à) to go on, keep on
(with); **se —** to be kept up,
be continued
contre against; opposite (to)
contrée *f.* country, locality
convaincre to convince
convenable suitable, proper,
conventional
convenance *f.* convenience,
liking
convenir (à) to suit, be suited
to; *impers.* to be well, be
right, be good, be best; **en
—** to agree, admit it
convoquer to call together
copieux, copieuse abundant
coque *f.* shell, husk
coquette *f.* flirt
corbeau [*pl.* **-x**] *m.* crow
corde *f.* rope, string

cordon *m.* string
coriace barky
corne *f.* horn
†**corneille** *f.* carrion crow
cornet *m.* horn, cup
cornu −e horned
corolle *f.* corolla
corps *m.* body; **prendre de —** to fill out
correspondre *and* **se —** to correspond
corrosif, corrosive corrosive, irritating
corselet *m.* armor, breastplate
cossus [*final* s *sounded*] *m.* goat moth
costume *m.* clothes; suit; uniform
côté *m.* side; **à —** (**de**) beside, near; **par —** to one side
côtoyer [oi *before mute syll.*] to pass beside
couche *f.* layer
couché −e lying (down), laid, prostrate, reclining; folded
coucher *m.* setting
coucher to lay; **se —** to go to bed, lie
couleur *f.* color
coulinage *m.* singeing
couloir *m.* channel
coup *m.* blow, stroke, blast, draft, puff; time; **— d'œil** glance; **à — sûr** surely; **— d'essai** first attempt
coupable blameworthy; culprit

coupe-bourgeon [*last* e *silent*] *m.* shoot-cutter
couper to cut, cut off
couple *m. or f.* pair
couramment fluently
courant −e running, current, customary
courant *m.* course, current
courbé −e bent
courir to run, run through, play; incur; go through, rush
court *see* **courir**
court −e short
courtilière *f.* mole cricket
courtisan *m.* courtier
cousin *m.* cousin
cousu −e sewed
couteau [*pl.* **couteaux**] *m.* knife
couturière *f.* seamstress
couvert *m.* cover; shelter; **à —** in a safe place, in safety
couvert (**de**) −e covered (with)
couverture *f.* cover
couvrir to cover, hide; **se —** to be covered
†**craignez** *see* **craindre**
craindre to fear
crainte *f.* fear; for fear
se cramponner to cling, hold fast
crâne *m.* head
crasseux, crasseuse dirty; abject; mean
créature *f.* creature
crépir to plaster

creuser to hollow out, dig; make
creux *m.* hollow
creux, creuse hollow, empty
crevasse *f.* crack
crible *m.* sieve
crin *m.* hair
criquet *m.* locust
cristal *m.* crystal
croc *m.* hook
crochet *m.* hook
croire (à) to believe, think; believe there is; — **bien** to think so certainly; — **de** to believe about
croiser *and* **se —** to cross
croissance *f.* growth; **faire** *or* **prendre leur —** to complete their growth
croque-prunes *m.* muncher of plums, plum-muncher
croyable credible
croyant –e believing, faithful; *n.* believer
cru *see* **croire**
cubique cubic
cuir *m.* leather
cuirasse *f.* breastplate, coat of mail
cuirassé –e armored, having a coat of mail
cuivre *m.* copper
culotte *f.* trousers
cultivateur *m.* farmer
cultivé –e tilled, cultivated
cultiver to cultivate

culture *f.* cultivation; crop
curieux, curieuse curious, strange; *n.* person of an inquiring turn of mind; *pl.* curious
curiosité *f.* curiosity; greed
cylindrique cylindrical

D

d' *for* **de** of, *etc.*
d'abord at first
d'ailleurs in other respects, besides, either
danger *m.* danger
dangereux, dangereuse dangerous
dans in, into, to, through, with, out of, from, under
d'après according to, following
davantage either
de of, from, out of, in, with, by, on, upon, for, about; *conj.* than
débarrasser (de) to free (from), rid (of)
débile weak
déboucher to uncork
debout standing, upright; up
débris *m.* remains, rubbish, fragment, refuse
†débrouillé –e cleared
début *m.* beginning; **au —** at first
débuter to begin
décalitre *m.* decaliter (*about 3 gallons*)

décamper to leave
déchausser to strip
déchirer to tear; **se —** to get torn
déchirure *f.* injury
de-ci in this direction
décimètre *m.* decimeter (*about 4 inches*)
déclarer to declare
décoction *f.* solution
découpé –e cut off
découpure *f.* cutting
découvert –e discovered; **mettre à —** to expose, bring to view
découvrir to uncover, discover
décrire to describe
†**dédaigner** to scorn
dedans inside, on the inside; **là- —** in there; **au —** on the inside
dédommager [ge *before* **a** *and* **o**] to repay
défaut *m.* defect, fault
défectueux, défectueuse faulty
défendre to defend, protect; keep from, prohibit
défendu –e protected
défense *f.* defense
défier to defy
définir to give a definition of
dégager [ge *before* **a** *and* **o**] to free
dégât *m.* damage, mischief, ravage
dégonfler to deflate

dégoût *m.* disgust
dégoûtant –e disgusting
degré *m.* step; degree, extent
dehors out, outside; **au —** outside, on the exterior
déjà already
delà in that direction, beyond; **par —** farther back
délassement *m.* rest; diversion
délicat –e delicate
délicatement delicately
délicieux, délicieuse delightful
délivrer to free, deliver
déloger [ge *before* **a** *and* **o**] to dislodge
demain tomorrow
demande *f.* request
demandé –e asked for
demander (à) to ask, request, ask for, ask of
démangeaison [e *silent*] *f.* irritation, itching
démarche *f.* gait, walk; step
déménager [ge *before* **a** *and* **o**] to move, move out
se démener [mè *before mute syll.*] to move about
démeure *f.* abode, home; place
demi –e half; **à —** half; half full
demi-litre *m.* half liter (*almost a pint*)
demi-métamorphose *f.* partial change
demi-mètre *m.* half meter (*nearly 20 inches*)

demi-rond *m.* half cylinder

démordre to let go; **en —** to give it up, yield

dénicher to unearth, find

dénombrement *m.* enumeration

dénombrer to enumerate

dénoter to indicate

dent *f.* tooth

dentelé –e set; armed

département *m.* department

dépasser to exceed

dépecer [ç *before* a *and* o] to cut up

dépendre de to depend on

dépens *m.* expense

dépenser to spend

dépérir to die

dépérissement *m.* decline, decay, withering

dépiquer to thresh

dépit *m.* vexation; **en — de** in spite of

déployé –e spread

déployer [oi *before mute syll.*] *and* **se —** to extend, spread out, display; be displayed

déposer to put, lay

dépoter to unpot, set out

†**dépouiller** to shed; despoil

dépourvu –e deprived, not provided with, without

depuis since, after; for; **— que** since

déranger [ge *before* a *and* o] to disturb

dernier, dernière last, latest

dérober (à) to hide (from)

dérouler to unwind, uncoil

derrière behind, on the back of

derviche *m.* dervish

des *contraction for* **de les** of the, some

dès from, at, as early as; **— que** as soon as

désagréable disagreeable

désagrément *m.* harm

désastre *m.* disaster

descendance *f.* descendants, progeny

descendre to go *or* come down, come out, get off, get out; fall; carry down

désespérant –e serious

†**désigner** to call, designate

désirer to desire

désormais long since, from now on

desquels *see* **lequel**

dessécher [sè *before mute syll.*] *and* **se —** to dry up

dessous under, underneath; **en —** below, underneath

dessus above, over, on, upon; **en —** above; **au- — (de)** above, over; *n.* upper part

destiné (à) –e destined, intended (for)

destructeur, destructrice destroying

destructeur *m.* destroyer, destroying

destruction *f.* destruction
détacher to tear off, loosen, detach, cut off; let fly; **se —** to come loose, fall out
détail *m.* detail
†**détailler** to shape, give form to; break up
déterrer to dig up
détestable detestable; unpalatable
détour *m.* way round, indirect way
détruire to destroy
deux two
devant before, at, over, in the presence of
dévastation *f.* ravage, destruction
dévasté –e destroyed
dévaster to ravage
développé –e developed
développement *m.* development
développer *and* **se —** to develop
devenir to become, become of
devenu –e become
deviner to guess; **se —** to be guessed
devoir *m.* duty, work; performance of duty; **rendre leurs —s** to pay their respects
devoir to owe, ought, should; be compelled, have (to), be to, must; **se —** to be proper
dévorant *m.* devourer
dévorant –e devouring

dévorer to devour
dieu *m.* God
différer [fè *before mute syll.*] **(de)** to differ (from)
différence *f.* difference
différent –e different
difficile hard, difficult
difficilement with difficulty
difficulté *f.* difficulty
digérer [gè *before mute syll.*] to digest
digestion *f.* digestion
diligence *f.* stagecoach, stage
diligent –e industrious
diminuer to reduce
dire to say, speak, tell; **se — à lui-même** to say to oneself; **se —** to be said, say to one another
direction *f.* direction
dirigé –e turned
diriger [ge *before* a *and* o] **(sur)** to direct, send to; **se —** to move, go, steer; be directed
disant *see* **dire**
discontinuer to stop
disons *see* **dire**
disparaître to disappear
dispersé –e shattered, blown to pieces, scattered
disposé –e arranged
disposer (de) to arrange, dispose (of), have
se dissiper to scatter; evaporate
distance *f.* distance; **à —** at a distance

distendu -e distended
distinguer (de) to distinguish (from); see
distraire to distract, interrupt, divert
divers -e various, different
divin -e divine
diviser to divide
division *f.* division
dix ten
dixième [x *like* z] tenth
dizaine *f.* ten or twelve
dodu -e plump
doigt *m.* finger
dois, doit *see* **devoir**
doivent *see* **devoir**
domesticité *f.* captivity; **en —** artificially
domicile *m.* home
don *m.* gift
donc so, therefore, then, anyhow
donner to give
dont whose, of which; whom, in what, in which, in whom; with which
doré -e gilded, gilt
doré *m.* golden (color)
dormir to sleep
dos *m.* back
doublé -e doubled
doubler to double
doublure *f.* lining
doucement quietly, gently
douceur *f.* sweetness; pleasure

doué -e endowed; gifted, furnished
douer to endow
douloureusement painfully
douloureux, douloureuse painful
doute *f.* doubt
doux, douce sweet, mild, soft, gentle, fresh; pleasant, mild-mannered
douzaine *f.* about twelve
douze twelve
drap *m.* cloth
dresser to array
drogue *f.* drug
droit -e right, straight; **à —e** at the right; **de —e** to the right; *adv.* directly
droit *m.* right, law
drôle funny, comical; **— de** comical, strange
du *contraction for* **de le**
duquel *see* **lequel**
dur -e hard
durant in, during, for
durcir to harden
durée *f.* duration
durer to last
dureté *f.* hardness
†durillon *m.* hard place
duvet *m.* down

E

eau [*pl.* **eaux**] *f.* water
ébauche *f.* sketch
†écaille *f.* scale

†écailleux, écailleuse scaly
écart *m.* digression; à l' — aside, to one side
écarter to drive away, remove
échafaudage *m.* scaffolding
échapper (à) *and* s'— to escape
écharpe *f.* scarf, sash; en — obliquely, slung
s'échauffer to get warm, heat
échecs *m. pl.* chess
†échenillage *m.* destruction of caterpillars
échiquier *m.* chessboard
éclat *m.* splinter; brilliancy
éclater to burst; — **de rire** to burst into laughter
éclore to hatch
éclos –e hatched
éclosion *f.* hatching; development
économie *f.* economy
écorce *f.* bark, hull
s'écorcher to remove its skin
s'écouler to pass, issue
écourté –e short, docked; truncated
écouter to hear, listen (to)
écraser to crush, mangle
écrire to write
écrit *m.* writing; **par** — in writing
écriture *f.* writing
écrivain *m.* writer; secretary
écu *m.* shilling, quarter; *pl.* money
écusson *m.* shield

édifice *m.* structure
éducation *f.* education
s'effacer [ç *before* a *and* o] to disappear
effet *m.* effect; **en** — in reality, in fact; quite right
efficace effective
efficacité *f.* effectiveness
effilé –e drawn out; thin, fine
effondrer to give way
effort *m.* effort
effrayant –e frightful
effrayé –e frightened
effroyable frightful
égal –e [*pl.* égaux, égales] equal, fair
également likewise
eh eh; — **bien** well, very well
élargir to enlarge, make wider; s'— to enlarge, grow wider
élégance *f.* elegance
élégant –e distinguished
élève *m. or f.* student, pupil
élever [lè *before mute syll.*] to rear, raise; s'— to rise, mount
elle it, she
éloge *m.* eulogy
†éloigner to remove, get rid of; s'— to separate
élytre *m.* outer wing
émanation *f.* vapor, emanation; fume
embarras *m.* embarrassment
embarrassé –e embarrassed; at a loss

embaumer to smell sweet, perfume
embonpoint *m.* fatness
†**embrouillé** –e confused
†**émerveillé** –e marveling
†**emerveiller** to amaze
émietter to disintegrate, pulverize, crumble
émigrant –e moving, migrating
émigrer to move, emigrate
Émile *m.* Emile, Emil
†**emmailloté** –e wrapped up
émonder to trim
empêcher (**de**) to prevent (from)
empesté –e infected
employé –e used
employer [oi *before mute syll.*] to employ, use
emporter to carry away
empressement *m.* haste; eagerness
s'empresser to hasten
emprunter (**à**) to borrow (from)
en of it, of them, from it, to such a point
en in, into, within, on, to, at, under; made of, in the form of; as
enclos –e inclosed
encombré –e filled, obstructed; — **de** covered with
encore still, yet, even then; again, also; more; this time; — **un** another

encourager [ge *before* **a** *and* **o**] to encourage
encre *f.* ink
endolorir to hurt, pain
endormi –e sleeping
endroit *m.* place
énergiquement vigorously
enfant *m. or f.* child
enfantin –e childlike, simple; childish
enfariné –e powdered
enfermer to shut, confine, shut up
enfin finally, at last, after all; well
enflammé –e lighted, burning
s'enfler to grow, expand
enfoncer [ç *before* **a** *and* **o**] to bury, hide
enfouir to bury, hide
s'enfuir to take to flight
engeance [*second* **e** *silent*] *f.* brood, race
engourdi –e torpid, numb
s'engourdir to grow torpid, hibernate
engrais *m.* fertilizer
ennemi *m.* enemy
ennuyé *m.* bored person
ennuyer [ui *before mute syll.*] to annoy, worry; **s'—** to be weary, be bored
énorme large
enrichi –e enriched
s'enrouler to wind, coil
†**enseigner** to teach

ensemble *m.* group, total, combination; **d'—** organized; **avec —** systematically
ensuite then, next
†**entaille** *f.* notch
†**entailler** to cut, gash, notch
entamer to cut into
entendre to hear; understand; **s'—** to come to an understanding
entendu (sur) –e knowing, expert (in *or* at); **bien —** of course
enterré –e buried
enterrer to bury
entier, entière entire, whole; **en —** completely
entièrement entirely
entouré –e surrounded; in, mid
entraîner to involve, entail
entre among, between, with, in, into; **d'—** of
entrée *f.* entrance
entremêler to mingle
entreprendre to undertake
entrer (dans *or* **à)** to enter, go in, get in, come, go
entrevoir to get a notion of, get a glimpse of
entr'ouvrir to open part way
envahir to invade, overrun
envahissement *m.* invasion, incursion
enveloppe *f.* envelope
enveloppé –e surrounded

envelopper to wrap, put on
enverrai *see* **envoyer**
envie *f.* wish; **avoir —** to wish
environ *m.* (*sometimes pl.*) neighborhood, vicinity
environ about
s'envoler to fly away
envoyer [oi *before mute syll.*] to send
épais, épaisse thick
épaisseur *f.* depth, thickness
épaissir to thicken
épancher to disclose; pour out
épanouir to expand, develop; be in bloom
épi *m.* head, ear
épine *f.* thorn
épingle *f.* pin
époque *f.* time
épouvantable frightful
épouvante *f.* fear, terror
épreuve *f.* test
éprouver to experience, feel, suffer
épuisé –e exhausted
épuiser to exhaust
s'équivaloir to be the same
erreur *f.* mistake
escargot *m.* snail
espèce *f.* kind, sort, species
espoir *m.* hope
esprit *m.* mind, courage, ability, skill; cleverness, talent
essai *m.* experiment, trial, attempt, effort, test; **coup d'—** test, first attempt

essaim *m.* swarm
essayer to try
essence *f.* essence, spirits
estime *f.* esteem
estomac *m.* stomach
et and
établir to establish; **s'—** to locate
étaler to spread out; **s'—** to spread
étamé –e tinned
état *m.* state, condition; government
etc. and so forth
étendre to stretch, extend; **s'—** to extend (out)
étendu –e extended
étendue *f.* extent; area
s'étirer to be drawn out
étoffe *f.* cloth, material
étonné –e astonished
étonner to surprise, astonish
étouffé –e stifled
étouffer to choke, suffocate, strangle
étourderie *f.* foolishness
étourdi *m.* blockhead
étourdissant –e stunning
étrange strange; rare, peculiar
étranger, étrangère (à) stranger; non-resident, absentee; ignorant (of)
être *m.* creature, being
être to be; **en —** to become, be to, come of; be on; agree; **en — là** to have reached that point; **y —** to count, account; be there, be at home
étroit –e narrow, close
étroitement narrowly
étudier to study
étui *m.* case, cover
eumolpe *m.* eumolpus
eux they, them, themselves
s'évader to escape
évaluer to estimate
s'évaporer to evaporate
†éveiller to wake; **s'—** to wake up
†éventail *m.* fan
évidé –e hollowed out
éviter to avoid; **s'— de** to escape
exact –e exact
examiner to inspect
excavation *f.* excavation
excellence *f.* excellence; **par —** par excellence
excellent –e excellent
excepté –e except
excepter to except, make an exception of
exclusivement exclusively
execution *f.* execution
exemple *m.* example; **par —** for example, to be sure
exercé –e experienced, practiced
exercer [ç *before* **a** *and* **o**] to practice, carry on, learn; **s'—** to be employed, be carried on
exercice *m.* exercise

exhaler to exhale, give off; s'— to come
exiger [ge *before* a *and* o] to extract
expérience *f.* experiment, test, experience
explication *f.* explanation
expliquer to explain
explorer to search
exposé –e exposed
exposer to expose
exposition *f.* exposure
exprès on purpose
expressément specially
expression *f.* word
exquis –e exquisite, dainty
exténuer to exhaust, exert
extérieur –e outer
exterminateur *m.* exterminator
extermination *f.* extermination
exterminer to exterminate
extraire to extract
extrait *see* **extraire**
extrême extreme, very great
extrémité *f.* end

F

fable *f.* fable
fabriquer to make, manufacture
fabuleux, fabuleuse fabulous
face *f.* face; **en — (de)** opposite, facing, face to face (with)
facette *f.* facet
fâcheux, fâcheuse annoying
facile easy; quick
facilement easily
facilité *f.* ease
faciliter to make easy
façon *f.* way, style; ceremony; ado; **de — à** so as to
façonné –e shaped, fashioned
façonner to make
fagot *m.* faggot, stovewood, bundle of faggots
faible weak, imperfect
faim *f.* hunger
fainéant *m.* loafer, sluggard, good-for-nothing
faire to make, do; say; acquire; **se —** to be made, become, take place, occur; **laisser —** to let alone; **— attention à** to notice; **— fête** to revel (in); **— le beau** to make a display.; **— le mort** to act as if dead, play dead; **— partie de** to be a part of, be one of; **— tête à** to overcome, pass successfully; **— ventre de** to bulge with, be filled with
fait *m.* fact
fait –e made, done, finished; prepared; mature, high
falloir to need, require, have to, be necessary, must; **peu s'en faut** nearly so; **il lui faut** it needs
fameux, fameuse famous; difficult
†**famille** *f.* family

famine *f.* famine
fané –e withered
faner *and* se — to wither
farine *f.* flour
farineux, farineuse floury, mealy
fassent *see* faire
fatalement fatally; inevitably
fatigue *f.* fatigue
faucheur *m.* mower
faut *see* falloir
faute *f.* error, fault; — de for (the) lack of
fauve *m.* tan (color)
faux, fausse false, imitation
faveur *f.* favor; en — de because of
favorable favorable
favori –e favorite
fée *f.* fairy
femelle *f.* female
femme *f.* woman
fendre *and* se — to split, crack
fenêtre *f.* window
fente *f.* split
fer *m.* iron; — étamé tin (plate)
fermé –e closed
fermenter to ferment
fermer to close
fête *f.* feast, party; occasion; celebration; faire — à to enjoy, revel in
feu *m.* fire
†feuillage *m.* foliage
†feuille *f.* leaf

†feuillet *m.* leaf, blade
feutre *m.* felt
fi *intj.* fie! oh! ah!
fier, fière (de) proud (of); great
figure *f.* face
figurer to figure, count; form; se — to imagine
fil *m.* thread, line; — **de fer** wire
filament *m.* filament
filasse *f.* pad, matting
file *f.* row
filer to spin
filet *m.* string, strand
filière *f.* spinneret
†fille *f.* daughter, girl
fils [fiss] *m.* son; child
fin, fine fine; close; dainty, exquisite
fin *f.* end; **en —** to the end; in script
final –e final
finalement finally
fine *see* **fin,** fine
finement delicately
finesse *f.* delicacy
fini –e finished
finir (de) to finish; en — to get done; — par to result in
firent *see* faire
fit *see* faire
fixe permanent, stationary
fixé –e fastened
fixer to fasten
flacon *m.* bottle

flamber to singe, burn; blaze
flamme *f.* flame
flanc *m.* flank, side
fléau [*pl.* **fléaux**] *m.* scourge
fléchir to bend, yield
flétri –e withered
flétrir *and* **se —** to tarnish, grow dim, fade, wither, dry up
fleur *f.* flower, blossom; **en —** in bloom; **à — de** even with, flush with; near
fleurir to blossom; display; **— bon** to have the agreeable odor of
flexible pliant
fluet, fluette thin, spare
foire *f.* fair
fois *f.* time; **une — que** once (that); **à la —** at the same time, at once
foncé –e dark, rich
fond *m.* bottom; fact; background; **à —** thoroughly; **de —** at the back
fondamental –e fundamental
fondre to melt; **se — to** melt
fontaine *f.* fountain, well, hydrant
force [*also pl.*] *f.* force, power; ability; **de — à** in sufficient numbers to, numerous enough to, capable of
forcer [ç *before* **a** *and* **o**] to compel
forestier *m.* forester

forêt *f.* forest, grove
formation *f.* formation
forme *f.* form; frame
former *and* **se —** to form
fort very
fort –e strong, big; great, intense
fortement strongly
fortune *f.* fortune, luck, chance; **de —** by chance
fossé *m.* ditch
fou (fol), folle [*pl.* **fous (fols), folles**] crazy, insane
foudroyé –e stricken, paralyzed
fouetter to whip
†**fouiller** to fumble, search, cut
fouir to dig, burrow
foulant –e crowding; force
foule *f.* crowd, many, large number
four *m.* furnace
fourmi *f.* ant
†**fourmiller** to swarm
fourni –e furnished
fournir to furnish
fourrage *m.* food, forage, hay crop
fourreau [*pl.* **-x**] *m.* scabbard, sheath; nest
fourrure *f.* fur, furs
fraîcheur *f.* freshness, coolness; vigor
frais, fraîche fresh; rosy; cool; **prendre le —** to get a breath of air

frais *m. pl.* expense, expenses; trouble
fraise *f.* strawberry
franc *m.* franc (*French coin worth normally* 19⅖ *cents*)
français –e French
frange *f.* fringe
frangé –e fringed
frappant –e striking
frappé –e struck, stricken
fréquemment frequently
froid *m.* cold; cold period; **grand —** intense cold
froid –e cold
froissé –e thrashed, lashed
fromage *m.* cheese
froment *m.* wheat
front *m.* front, face, forehead
frotter to rub
fruit *m.* fruit, piece of fruit; result
fruitier, fruitière fruit-bearing, fruit
fuir to flee
fuite *f.* flight
fumée *f.* smoke
fumer to smoke
fumigation *f.* fumigation
fureter to hunt
fut *see* être
futur –e future

G

gâcher to mix
gaiement happily
galerie *f.* gallery; tunnel
garantir (de) to protect (from)
garde *f.* guard; care; hilt; **prendre —** to be cautious; **prendre — à** to pay attention to
garder to retain; keep; protect; have; **se — de** to avoid, keep from, refrain from
garnir to ornament; shape
gâté –e spoiled
gâte-bois wood-spoiling
gâter to spoil; **se —** to spoil
gauche left; **à —** to *or* at the left; **de —** to the left
gauchement awkwardly
gaz *m.* gas
gazon *m.* sod, lawn
gelée *f.* frost
gêner to annoy, worry
général –e general; **en —** generally
généralement generally, as a rule
génération *f.* generation
genou [*pl.* **genoux**] *m.* knee
genre *m.* genus (*pl.* genera)
gens *m. pl.* people
gentil –le gentle, nice, polite
gentiment prettily, nicely
géométrie *f.* geometry
gerbe *f.* sheaf
germe *f.* germ, bud; origin, source
germer to germinate, sprout
gît lies

gîte *m.* retreat, lair
gloutonnement greedily
gomme *f.* gum
gonflé –e swollen
gonfler to swell out
gorger [ge *before* **a** *and* **o**] to gorge, stuff
goudron *m.* tar
goulu –e greedy
goulue *f.* glutton
goût *m.* taste, flavor; **prendre — à** to like
goutte *f.* drop
grâce *f.* grace; thanks; **faire — à** to judge charitably, be merciful to
gracieux, **gracieuse** graceful, gracious
grain *m.* seed, grain, cereal; grape
graine *f.* seed
graisse *f.* fat
grand –e great, large, tall, abundant; **en —** on a large scale
grandir to grow
grand'mère *f.* grandmother
grand-père *m.* grandfather
grappe *f.* bunch, cluster
gras, **grasse** fat, rich; **— à lard** fat as bacon
†grassouillet, **grassouillette** plump
gratter to scratch
grave solemn, serious; important

gravé –e marked
graver to mark
grec *m.* Greek (language)
greffer to graft
grêle *f.* hail
grenat –e garnet
grenat *m.* garnet
grenier *m.* granary
griffe *f.* claw
se griffer to fight
†grignoter to nibble
†grillon *m.* cricket
gris –e gray
groin *m.* snout, nose
gronder to scold; growl, roar
gros, **grosse** stout, fat, big, large, plump, heavy; hard
grosseur *f.* size
grossier, **grossière** coarse
grossir to grow
grossissant –e magnifying
†grouillant –e moving, crawling
†grouiller to crawl
groupe *m.* group
†guenille [u *silent*] *f.* remnant, wreck
guère [u *silent*]: **ne . . . —** scarcely, hardly, scarcely ever
guerre [u *silent*] *f.* war
guetter [u *silent*] to keep watch on, lie in wait for
guider [u *silent*] to guide

H

In words marked ' the initial **h** is aspirated

habile skillful
habileté *f.* skill
†**habillement** *m.* clothes
habit *m.* coat, suit; *pl.* clothes
habitant *m.* inhabitant
habitation *f.* house, abode
habité –e inhabited
habiter to inhabit
habitué –e accustomed
' **haché** –e chopped; cut off
' **haie** *f.* hedge
†' **haillon** *m.* rag
haleine *f.* breath
' **hanneton** *m.* June bug
' **hannetonnage** *m.* June-bugging, destruction of June bugs
hardi –e bold
' **haricot** *m.* bean
' **hasard** *m.* chance; **au —** at random
' **hâter** *and* **se — (de)** to hasten
' **haut** –e high, tall; far; loud; skilled; **du — de** from; **de — from above**; **en —** upward
' **hauteur** *f.* height; **à la — d'appui** breast high
Le ' Havre *m.* Havre
hectare *m.* hectare (*two and a half acres*)
hectolitre *m.* two bushels
hélas [s *like* ss] alas
hémerobe *m.* lacewing (fly)
herbe *f.* grass, herb; **mauvaise — weed**; **en — green**
' **hérissé (de)** –e bristling (with)

' **hérisson** *m.* hedgehog
hésiter to waver, hesitate
heure *f.* hour; time; **tout à l'—** soon, a little while ago
heureusement fortunately
heureux, heureuse happy; capable
' **heurter** to bump into, knock; find
hier yesterday
histoire *f.* story, history; matter, affair
hiver [–vèr] *m.* winter; **d'— winter**
' **hocher** to raise, elevate
homme *m.* man, human being
honorer to honor
horrible horrible
hors (de) outside (of), out (of)
' **houppe** *f.* tuft, tassel
huile *f.* oil
' **huit** eight
humble humble, modest
humecter to moisten
humeur *f.* liquid
humide damp, moist, liquid

I

ici here; **d'—** in this direction, here
idée *f.* idea
†**ignorance** *f.* ignorance
†**ignorant** *m.* ignoramus, ignorant person
†**ignorer** not to know, be oblivious of

il it, he
image *f.* image, form, figure; sight
imaginer to imagine
imitateur *m.* imitator
immédiatement immediately
immense enormous
imminent –e close, near
immobile motionless
imparfait –e imperfect
impatienté –e vexed
implacable implacable
importer (**à**) *impers.* to make a difference, concern; be important
impossible impossible
†**impregné** –e laden; filled
imprimé –e printed
imprudence *f.* blunder, imprudence
imprudent –e imprudent
impuissance *f.* inability
impunément without fear of injury
impur –e impure, foul
inaperçu –e unnoticed
incapable (**de**) incapable (of)
incendié –e set on fire
incertain –e uncertain
incomparable incomparable, large
incomplet, incomplète incomplete, partial
incompréhensible incomprehensible
inconnu *m.* unknown

inconnu –e (**à**) unknown (to), strange (to); — **de** not known by
incontestable incontestable
inconvénient *m.* harm, injury
inculte uneducated
Indes *f. pl.* (East) Indies
indice *m.* indication, symptom
indifféremment indifferently
indispensable necessary
industrie *f.* business; skill
industrieux, industrieuse industrious
inerte powerless
†**infaillible** infallible
infecter to give an odor
infection *f.* smell
inférieur –e lower
infesté –e infested
infidèle *m.* unbeliever
infiniment very
inflammable inflammable
informer to inform; **s'**— (**de**) to find out (about)
ingénieux, ingénieuse ingenious
innocent –e guiltless
innombrable innumerable
inoffensif, inoffensive harmless
inondé –e flooded
inquiété –e disturbed
insecte *m.* insect
insecticide insect-killing
insouciance *f.* carelessness, neglect
insouciant –e careless
inspection *f.* inspection

inspiration *f.* inspiration; genius
inspirer (à) to inspire (in)
installer to install
instant *m.* moment; **à l'—
(même)** instantly
instinct *m.* instinct
instituteur *m.* schoolmaster
instruction *f.* education; information
instrument *m.* instrument
insu: **à son —** without his knowing it
insuffisant –e insufficient
insufflation *f.* blowing in; dry spraying
intact –e untouched
intempérie *f.* bad weather; cold
intention *f.* intention; **à leur —** meant for them
intercepter to cut off, obscure
intéresser to interest; **s'—** to be interested
intérêt *m.* interest
intérieur *m.* inside, interior
intermédiaire intermediate
interroger [ge *before* **a** *and* **o**] to question
intervalle (de) *m.* space (between)
intervenir to intervene, come in
intimité *f.* intimacy
introduire (dans) to let in, put, take in, put in, introduce; **s'— dans** to enter
intrus *m.* intruder
inutile useless, needless

inventer to invent
inventeur *m.* inventor
invention *f.* invention
invisible invisible
Irlande *f.* Ireland
Irlandais *m.* Irishman; *pl.* Irish
isolé –e isolated
issu –e **(de)** produced (from), from

J

Jacques *m.* James
jamais ever, never; **ne ... —** never; **au grand — ... ne** never never; **à —** ever
jambe *f.* leg
jambon *m.* ham
jaquette *f.* jacket
jardin *m.* garden
jardiner to garden
jardinier *m.* gardener
jardinière *f.* garden beetle
jaunâtre yellowish
jaune yellow
jaune *m.* yellow (color)
jauni –e yellowed
Jean *m.* John
jeter [**tt** *before mute syll.*] to throw; utter, inspire, cause
jette *see* **jeter**
jeu [*pl.* **jeux**] *m.* play, game; child's play
jeudi *m.* Thursday
jeune young, youthful; **— âge** youth

joie *f.* joy
joli -e pretty
joue *f.* cheek
jouer to play; move, operate
joueur *m.* player
joueur, joueuse playful
jouir (de) to enjoy
jour *m.* day, daytime, daylight; light; **un —** some day; **au — le —** from day to day
journal [*pl.* **journaux**] *m.* magazine, journal
journée *f.* day
jubilation *f.* exaltation; **en —** very happy
judicieux, judicieuse wise
juger [ge *before* a *and* o] to judge, decide; suspect
†**juillet** *m.* July
juin *m.* June
Jules *m.* Julius
jusque until, up to; clear; **jusqu'à ce que** till
juste correct, just, exact, exactly
justesse *f.* reasonableness; exactness
justice *f.* justice

K

kilogramme *m.* kilogram (*two and a fifth pounds*)

L

là there; **de —** from there
la *see* **le**

labour *m.* plowing
labourer to plow, furrow
laboureur *m.* plowman
lacis *m.* network
là-haut up there
laid -e ugly; malicious
laine *f.* wool
laisser to leave, let, let alone; have (a thing done); **— faire** to let alone
lait *m.* milk
laitue *f.* lettuce, lettuce plant
lambeau [*pl.* **-x**] *m.* tatter, shred, scrap, piece
lamentable sad
lampe *f.* lamp
lancer [ç *before* a *and* o] to throw, thrust forward, throw out
langage *m.* language
lange *m.* swaddling cloth
langue *f.* tongue; language
lanigère woolly
lanterne *f.* lantern
laquais *m.* lackey, footman
laquelle *see* **lequel**
lard *m.* bacon
large wide, sweeping, broad
largement liberally
largeur *f.* breadth, width
larve *f.* larva, grub, worm, caterpillar
se lasser to grow tired
latéral -e lateral, side
latin *m.* Latin (language)
lavage *m.* washing

le, la, the, it, her, him
leçon *f.* lesson
léger, légère light, slight; delicate, trim; deft
légèrement slightly
légion *f.* swarm, legion
lendemain *m.* next day; morrow
lent –e slow
lépidoptère *m.* lepidopter
lequel, laquelle who, which, that
leste light, deft
lettre *f.* letter
leur their; **les —s** theirs
lever [lè *before mute syll.*] to raise, lift; come up, grow; **se —** to rise, begin; get up, come up
lèvre *f.* lip
lézard *m.* lizard
liberté *f.* liberty
liège *f.* cork
lieu [*pl.* -x] *m.* place; **au — de** instead of; **avoir —** to take place; **tenir — de** to take the place of
lieue *f.* league (*two and a half miles*)
†**ligne** *f.* line, row
lilas *m.* lilac (bush)
limer to file
linge *m.* linen
liqueur *f.* liquor
liquide *m.* liquid
lire to read; **se —** to be read

lisant *see* **lire**
lisse smooth
lissé smoothed, polished
lit *see* **lire**
litre *m.* liter (*a pint and three-quarters*)
livré –e delivered
livre *m.* book; *f.* pound; franc
livrer to give up, deliver
localité *f.* place
logement *m.* abode, home
loger [ge *before* a *and* o] to lodge, accommodate, place; **se —** to live, dwell
logis *m.* lodging
loin far, distant; **au —** at a distance; **de — au —** at rare intervals
lointain *m.* distance; distant time, future
loisir *m.* leisure
l'on *same as* **on**
long, longue long; **le — de** along; **de son —** at full length; **au —** at length; **en —** lengthwise; **tout du —** the whole length
longtemps long, for a long time
longueur *f.* length
lorsque when
Louis *m.* Lewis
loup *m.* wolf
lourd –e heavy
lucidité *f.* clearness
lueur *f.* light

lui to him *or* her, for him *or* her, *etc.*; it, he, she; the one
lui-même himself
luisant −e gleaming, shining, brilliant; striking; sleek
lumière *f.* light
lune *f.* moon
lutte *f.* struggle
luxe *m.* luxury
luzerne *f.* (field of) alfalfa

M

M. *abbrev. for* **Monsieur**
‡**machaon** *m.* swallowtail butterfly
mâché −e crushed, ground
mâcher to grind up
mâchoire *f.* jaw
magasin *m.* storehouse
magique magic
†**magnificence** *f.* magnificence
†**magnifique** magnificent
mai *m.* May
maigre meager, slender, poor, lean
†**maillot** *m.* enamel; **au —** made of enamel
main *f.* hand
main-forte *f.* force, strength
maintenant now
maintenir to keep, hold
maire *m.* mayor
mairie *f.* town hall; town government
mais but
maison *f.* house

maître *m.* master, owner
majorité *f.* majority
mal [*pl.* **maux**] *m.* evil, malady; injury; **— de tête** headache
mal badly
malade sick, diseased
maladif, maladive sickly
mâle *m.* male
malemort *f.* miserable death
malgré in spite of
malheur *m.* misfortune
malheureux, malheureuse unhappy, unfortunate
malicieusement mischievously
malin, †**maligne** clever, shrewd; mischievous
malintentionné −e evil-intentioned
man *m.* grub
mandibule *f.* jaw
mangeable [e *silent*] edible
manger [ge *before* **a** *and* **o**] to eat
mangeur *m.* eater
maniement *m.* handling
manier to handle
manière *f.* manner; **à la — de** in the manner of, like
manquer (de) to lack, be wanting; miss, fail; be absent
manteau [*pl.* **-x**] *m.* cloak
manufacture *f.* factory; manufacture
marchand *m.* merchant
marcher to walk; progress
mare *f.* pool
marécage *m.* marsh

marmite *f.* kettle
marraine *f.* godmother
marron, marronne dark red, chestnut
marronnier *m.* chestnut tree
mars [s *like* ss] *m.* March
masse *f.* mass
matérial [*pl.* **matériaux**] *m.* material
maternel –le maternal
Mathieu *m.* Matthew
matière *f.* material
matin *m.* morning; **bien —** very early; **de grand —** early in the morning
matou *m.* tomcat
maudit –e bad
maugréer to rage, fume, storm, curse
maussade disagreeable
mauvais –e bad
me me, to me, for me, *etc.*
méchant –e vicious; ugly; mischievous
mèche *f.* wisp; torch, match
Méditerranné –e Mediterranean
†**meilleur –e** better, best
melalontha *m.* June bug
mélange *m.* mixture, combination
membraneux, membraneuse membranous
même same, very, -self; *adv.* even; **en être de — de** to be the same with

mémoire *f.* memory
menaçant –e threatening
menacer [ç *before* a *and* o] to threaten
mener [mè *before mute syll.*] to lead, take, conduct
menu *m.* bill of fare
menu –e minute
se méprendre (à) to be mistaken (about)
mer *f.* sea
mère *f.* mother
Méridional –e [*pl.* **Méridionaux, –ales**] southern
mérite *m.* merit
mérité –e deserved
mériter to deserve
†**merveilleux, merveilleuse** marvelous
mesure *f.* measure; **à — que** as
mesurer to measure
métal [*pl.* **métaux**] *m.* metal; brass
métallique metallic
métamorphose *f.* change
métamorphosé –e changed
métamorphoser *and* **se —** to change
méthode *f.* manner, way
métier *m.* trade, occupation; **faire un —** to follow a trade
mètre *m.* meter
mettre to put, set, place, turn; employ; **se — à** to begin, set to; **se — en** to fall into, get into

meuble *m.* piece of furniture; *pl.* furniture
meule *f.* stack
meure(nt) *see* **mourir**
meurt *see* **mourir**
meurtrir to bruise
midi *m.* noon; South (of France)
miel *m.* honey
mielleux, mielleuse sweet, like honey
mien, mienne mine; le — mine
mieux better, more, best; **de — en —** better and better
†**mignon, mignonne** dainty, nice
milieu [*pl.* **milieux**] *m.* middle, midst; environment
mille thousand
milliard *m.* billion
millier *m.* thousand
millimètre *m.* millimeter
million *m.* million
mince slight, delicate, thin; poor; insignificant
mine *f.* mine
miné –e tunneled
minet *m.* pussy
ministre *m.* minister, vizier
minutieux, minutieuse exacting, detailed
mi-parti –e half, divided
miracle *m.* miracle
mis(e) set, prepared; *see* **mettre**
misérable wretched
misérablement wretchedly
misère *f.* wretchedness, hardship; poverty

mit *see* **mettre**
mode *f.* fashion
modèle *m.* model
modeste unpretentious
modestie *f.* modesty; **avec —** modestly
mœurs *m.* customs
moi I, me
†**moignon** *m.* stump
moi-même myself
moindre less, least, slightest
moineau [*pl.* **-x**] *m.* sparrow
moins less, least; **au —** at least; **du —** at least; **de —** less
mois *m.* month
moisson *f.* harvest
moissonner to harvest
moitié *f.* half
mol *see* **mou**
moment *m.* moment; **du — que** when
mon, ma [*pl.* **mes**] my
monde *m.* world; people; **tout le —** everybody; **au —** in the world
monotone monotonous
Monsieur *m.* Mr.
monter to ascend, climb up, climb, go; take up, carry up
montrer to show, point out; **se —** to be, appear, be shown
morceau [*pl.* **-x**] *m.* piece, passage
mordre to gnaw, bite

moribond *m.* dying
mort *f.* death; — **d'hiver** dead of winter, midwinter
mort −e dead
mort *m.* dead person; **faire le** — to pretend to be dead, play dead
mortel −le deadly
mortification *f.* decay
mortifié −e decaying; rotted, rotten
mot *m.* word
motif *m.* reason; **pour quel** — why
mou (mol), molle soft
mouche *f.* fly
moucheté −e spotted
mouchoir *m.* handkerchief
†**mouillé** −e wet, damp, moistened
moule *m.* mold, form
moulin *m.* mill
moulinet *m.* brandishing, swinging
mourir to die
mousse *f.* moss
moustache *f.* mustache
mouture *f.* grinding; grist
mouvement *m.* movement, activity, life
moyen −ne medium, middle, average; — **âge** Middle Ages
moyen *m.* means; way, plan
moyenne *f.* average; **en** — on the average
multiplication *f.* increase
multiplier to multiply
multitude *f.* large number
muni −e equipped
munir to equip, fortify
mur *m.* wall
mûr −e ripe
mûrier *m.* mulberry tree
museau [*pl.* −x] *m.* nose, snout
myriade *f.* myriad

N

nage *f.* perspiration
nager [ge *before* a *and* o] to swim, float
naïf, naïve ingenuous, innocent, simple-minded
nais *see* **naître**
naissance *f.* birth; base, place of origin
naître to be born
nation *f.* nation, country
naturel −le natural
ne not; — ... **pas** not; — ... **aucun** no; — ... **point** not at all; — ... **plus** no longer; never; — ... **guère** hardly; — ... **personne** nobody; — ... **jamais** never; — ... **que** only; — ... **rien** nothing; — ... **guère** ... **que** scarcely ... except
né −e born
nécessaire (pour) necessary (for)
nécessité −e made necessary
nécessiter to make necessary

neige *f.* snow
net, nette clear, clean, distinct, clear-cut; short
neuf nine
neuf, neuve new
neveu [*pl.* -**x**] *m.* nephew
nez *m.* nose
ni neither; — ... — neither ... nor
niaisement foolishly, stupidly
niaiserie *f.* folly, foolish thing
niche *f.* niche, retreat, hiding place
nichée *f.* young (in a nest)
nid *m.* nest
nippe *f.* article (of dress), (dress) accessory; *pl.* (old) clothes
niveau [*pl.* -**x**] *m.* level
nocturne nightly
noir -**e** black
noirâtre blackish
noirci -**e** blackened
noisetier *m.* hazel bush
noisette *f.* hazelnut
nom *m.* name
nombre *m.* number(s)
nombreux, nombreuse numerous
nommé -**e** called
nommer to name, appoint; **se** — to be called
non no; not; — **plus** either, neither
Normandie *f.* Normandy
notamment especially
notion *f.* idea

nôtre ours
notre [*pl.* **nos**] our
nourricier, nourricière nourishing
nourrir (de) to nourish (with), support (on), feed (on); **se — de** to feed on
nourriture *f.* food
nous we, us, to *or* for us
nous-mêmes (we) ourselves
nouveau (nouvel), nouvelle new, recent; **de —** anew, again
nouveauté *f.* novelty
nouvellement recently
novice inexperienced
noyé -**e** (**de**) drowned (in)
noyer *and* **se —** to drown
noyer *m.* nut tree, walnut tree
nuage *m.* cloud
nuée *f.* cloud
nuire à to injure; lessen
nuisible harmful
nuit *see* **nuire**
nuit *f.* night; **cette —** last night
nul, nulle no; — ... **ne** nobody
nutritif, nutritive nutritive, nutritious
nymphe *f.* nymph

O

objet *m.* object; thing
oblique oblique
obscur -**e** dark, obscure; inconspicuous

obscurité *f.* darkness
observation *f.* observation
observer to watch, notice
obstacle *m.* obstacle; **faire** *or* **mettre — à** to oppose, hinder
obtenir to get
occasion *f.* occasion, event
occupation *f.* employment
occupé –e (par) busied, busy (with)
occuper (de) to occupy (with), busy (with)
odeur *f.* odor
odieux, odieuse repulsive
odorant –e ill-smelling
odoriférant –e aromatic, pungent
†**œil** [*pl.* **yeux**] *m.* eye; **coup d'—** glance
†**œillet** *m.* carnation
œuf [*pl.* **œufs**, **fs** *silent*] *m.* egg
œuvre *m.* work; **mettre en —** to set to work
oiseau [*pl.* **–x**] *m.* bird
on one, we, they, you
oncle *m.* uncle
ongle *m.* nail
ont *see* **avoir**
opération *f.* operation
opérer to operate
opiniâtrément obstinately
opportun –e opportune, suitable
or *m.* gold; **d'—** golden
or therefore, so
orage *m.* cyclone
orangé –e orange
ordinaire ordinary; **d'—** usually
ordonner to order
ordre *m.* order; **y mettre bon —** to attend to it
†**oreille** *f.* ear
organisation *f.* construction, form
organiser to organize
orge *f.* barley
orifice *m.* opening
origine *f.* origin
orme *m.* elm
ornement *m.* ornament; **d'—** ornamental
ornière *f.* rut
orthoptère *m.* orthopter
oser to dare
ou or
où where
oublier to forget; **s'—** to be forgotten
ouf whew
oui yes
outil *m.* tool
†**outillé** –e fashioned
outre beyond; **en —** besides
ouvert –e open, opened
ouverture *f.* opening; collar
ouvrir to open; **s'—** to be opened, open, come open

P

page *f.* page
†**paille** *f.* straw

VOCABULARY

pain *m.* bread
paire *f.* pair
paisible quiet, peaceable; innocent
paisiblement without interference
paix *f.* peace, quiet; **en —** undisturbed
pâle pale
pâlir to grow pale, fade
pampre *m.* branch (*of a vine*)
pan whack
pan *m.* span (*about 4 inches*)
panache *m.* plume, cluster
panier *m.* basket
panse *f.* stomach
pansu –e fat, bulging
pantoufle *f.* slipper
papier *m.* paper
†**papillon** *m.* butterfly
par by, through, out of; because of; with; on; as for; per
paraître to appear
parcelle *f.* bit
parce que because
parcourir to run through
paré –e adorned
†**pareil** –le equal, like, similar
†**pareillement** likewise
parenté *f.* relationship
paresseusement lazily
parfait –e perfect
parfaitement perfectly; yes
parfois sometimes
parfum [m *like* n] *m.* perfume

parfumé –e fragrant
parler to speak, talk; **se —** to be spoken
parmi among, from among
paroi *f.* side; wall
parole *f.* word
parsemé –e studded, dotted
part *see* **partir**
part *f.* part, share; **prendre — à** to share; **de — en —** through and through; **à —** except; **faire — à** to tell to
partager [ge *before* a *and* o] to share; **se —** to be divided
parti –e gone
particulier, particulière peculiar
particulièrement particularly
partie *f.* part, party; **en —** partly; **faire — de** to be (one) of
partir to leave, start, go; **en —** to diverge, radiate; go from it
partout everywhere
parvenir (**à**) to arrive, come; manage, succeed
parvenu –e arrived
pas *m.* step; not; **ne ... —** not; **— de** no
passage *m.* passage, way; **sur leur —** in their way
passé –e past
passer to pass; **se —** to happen; **y —** to die; **— par** to pass through

passionné –e enthusiastic
se passionner de to have great interest in
pasteur *m.* herdsman
pâtée *f.* paste; food
paternel –le paternal
patiemment patiently
patience *f.* patience
patte *f.* paw, foot
pauvre poor
pauvret *m. and* **pauvrette** *f.* poor little thing
pays *m.* district
peau *f.* skin, hide
pêche *f.* peach
peine *f.* pains, trouble; sorrow; penalty; **à —** scarcely; **faire — à** to injure; **valoir la —** to be worth while
pelle *f.* shovel
pelletée *f.* shovelful
pelleter [tt *before mute syll.*] to shovel
pelleterie *f.* furs
pelote *f.* ball
pelouse *f.* lawn
pendant during, for; **— que** while
pendre to hang; droop
pénible painful, hard
péniblement painfully
penser à to think of
pensif, pensive meditative
pepinière *f.* nursery
percé –e pierced, punctured; made

percer [ç *before* **a** *and* **o**] to pierce
perdre to lose; **s'y —** to be bewildered
perdu –e lost, doomed
père *m.* father
péril *m.* peril, risk
périr to perish, die
permettre (de) to allow (to)
permis –e allowed
perpétuel –le constant
personne *f.* person, anybody; **ne . . . —** nobody
persuadé –e persuaded, believing
persuader to persuade; **se —** to be *or* become persuaded
perte *f.* loss
peser [pè *before mute syll.*] to weigh
petit –e small, little
peu little, few; **— à —** gradually, one at a time; **à — près** nearly; **— de** little, few; **— s'en faut** very nearly; **pour — que** however little . . ., ever so little
peuple *m.* nation, people, race, tribe, brood
peuplé –e populated
peuplier *m.* poplar
peur *f.* fear
peut *see* **pouvoir**
peut-être perhaps
pie *f.* magpie
pièce *f.* piece; room

pied *m.* foot; root; à — on foot; **sur** — standing
piège *m.* snare, trap
pie-grièche [*pl.* **pies-grièches**] *f.* butcher bird
piéride *f.* pieris, (cabbage) butterfly
pierrerie *f.* gems
pigeon [e *silent*] *m.* pigeon
pimpant –e smart, spruce
pin *m.* pine
pince *f.* pincers, tweezers
pincer [ç *before* **a** *and* **o**] to pinch
pipe *f.* pipe
piquant –e sharp
piquant *m.* sticker, sting, stinger
piqué –e stung, pierced
pique-prunes *m.* plum-stinger
piquer to stick, sting; set
pire worse; *m.* harm, injury
pistolet *m.* pistol
pitié (de) *f.* pity (on)
place *f.* place; seat; room; square; **sur** — immediately
placé –e placed
placer [ç *before* **a** *and* **o**] to place
plaire (à) to please; **s'il vous plaît** if you please
plaisir *m.* pleasure
plant *m.* plant
plantation *f.* plantation; farm; crop
plante *f.* plant
planter to set
platane *m.* plane tree
plein –e full; open

pleurer to weep
pleurs *m. pl.* tears
pleuvoir to rain
plonger [ge *before* **a** *and* **o**] to dive, go under, plunge, put in
plu *see* **pleuvoir**
pluie *f.* rain
plume *f.* feather, quill; pen
plupart *f.* majority, greater part
plus more, most; **ne** . . . — no longer; **non** — either; **de** — more
plusieurs several
plut, plût *see* **plaire**
plutôt rather
pluvieux, pluvieuse rainy, wet
poche *f.* pocket
poêle *m.* stove
†**poignée** *f.* handful
poil *m.* hair, bristle; coat
poing *m.* fist
point *m.* point; locality; **ne** . . . — not; **à** — just right
pointe *f.* point, tip; beak; **à** — ready for use
pointu –e pointed
poire *f.* pear
poirier *m.* pear tree
pois *m. pl.* peas; — **de senteur** sweet peas
poison *m.* poison
poisson *m.* fish
poivre *m.* pepper
poli –e polished smooth
pomme *f.* apple; nozzle; — **de terre** potato

pommelé −e dappled
pommier *m.* apple tree
pompe *f.* pump
pondre to lay
ponte *f.* laying
population *f.* population
portatif, portative portable
porte *f.* gate, door, entrance; doorstep
porte-bec *m.* beak-bearer
portée *f.* range, reach; **à — de** in reach of
porte-laine woolly
porter to carry, bring; wear
posé −e laid; resting
poser to place, pose, put; **se —** to light, settle
posséder [sè *before mute syll.*] to have
possible possible
pot *m.* jar
potager, potagère food, cooking; kitchen; garden; **plante potagère** vegetable
pou [*pl.* **poux**] *m.* louse, plant louse
pouce *m.* thumb
poudre *f.* powder, dust
poulet *m.* chicken
pour for, about, as; **— que** in order that; **— peu que** if . . . ever so little
pourpre *f.* purple (coloring matter); purple (color)
pourquoi why; **— faire?** what do you wish *or* mean?

pourraient *see* **pouvoir**
pourrait *see* **pouvoir**
pourri −e rotten
pourriture *f.* decay
pourtant and yet, however
pourvu −e (de) provided (with), furnished (with)
pousse *f.* shoot
poussé −e pushed; carried
pousser to thrust, urge, push; utter; sprout, grow
poussière *f.* dust, powder
pouvoir can, to be able; **se —** to be possible; **y —** to be able to do about it
pouvoir *m.* power, resources
prairie *f.* prairie
praticable practicable, possible
pratique *f.* practice
pratiquer to form
pré *m.* meadow
préalable previous
préalablement previously
précaution *f.* precaution
précautionné −e careful
précédent −e preceding
précéder [cè *before mute syll.*] to precede
précieux, précieuse dear, precious, valuable; agreeable
précipitation *f.* haste
précisément exactly
précision *f.* preciseness, exactness
préfecture *f.* main office, headquarters

VOCABULARY

préférer [fè *before mute syll.*] to prefer
premier, première first
prendre to take, catch fire; fall; assume; — **part à** to share; — **le frais** to get a breath of air; **s'y** — to proceed, act; — **goût à** to like, fancy; — **garde** to be circumspect
prenne *see* **prendre**
préoccupation *f.* concern, task
préoccupé –e (**de**) preoccupied (with), busy, busied
préoccuper to concern
préparatif *m.* preparation
préparation *f.* preparation
préparer to prepare
prérogative *f.* prerogative
près (**de**) close, near; **à peu** — almost; nearly, approximately; **de** — closely, near
présence *f.* presence
présenter to present, introduce; **se** — to appear
presque almost
pressé –e pressing, urgent
pressentiment *m.* presentiment
presser to press; **se** — to be in a hurry, crowd
pression *f.* pressure
prêt –e (**à** *or* **pour**) ready
prétention *f.* claim
prêter to lend
preuve *f.* proof, illustration; **à** — witness
prévenir to forestall, prevent

prévision *f.* foresight; provision; **en** — **de** foreseeing
prévoir to foresee
prévoyance *f.* foresight
prier to ask, beg, beseech; **en** — to implore
princier, princière princely
principal –e [*pl.* **principaux, principales**] principal
printanier, printanière young, springlike
printemps *m.* spring
prirent *see* **prendre**
pris(**e**) *see* **prendre**
pris –e taken, occupied
prison *f.* prison
prisonnier *m.* prisoner
prit *see* **prendre**
probablement probably
procédé *m.* procedure, operation
procès *m.* lawsuit, case, prosecution
prochain –e next, coming
procréer to produce
procurer to get
prodige *m.* miracle
prodigieux, prodigieuse great
produire *and* **se** — to produce
produit –e produced
profit *m.* advantage
profiter (**de**) to take advantage (of)
profond –e deep
profondément deep(ly)
profondeur *f.* depth
progrès *m.* progress

progression *f.* advancing, moving; progression, series
projet *m.* plan, purpose
prolongé –e long, drawn out, prolonged
prolonger [ge *before* **a** *and* **o**] to lengthen; **se —** to run out, be extended
promenade *f.* walk, stroll; avenue
promettre to promise
promis, promit *see* **promettre**
promptement immediately
prononcer [ç *before* **a** *and* **o**] to pronounce, speak, say
se propager [ge *before* **a** *and* **o**] to propagate, increase
propension *f.* propensity, inclination
propice (à) favorable; best
proportion *f.* number, quantity
propos *m.* talk, conversation; **à —** by the way; pat, to the point
proposer *and* **se —** to plan
propre (à) neat; calculated; own; fit
prospère flourishing
prospérer [pè *before mute syll.*] to prosper, flourish
protégé –e protected
protéger [tè *before mute syll.*] to protect
provenir to come
province *f.* province
provision *f.* supply; **faire —** to get a supply; **—s de bouche** food
provisoire temporary
provisoirement temporarily
prudemment prudently, cautiously
prudence *f.* prudence
prune *f.* plum
prunier *m.* plum tree
pst whee, presto, flash, zip
pu *see* **pouvoir**
puant –e malodorous
puanteur *f.* stench
puceron *m.* rose louse
puis then
puis *see* **pouvoir**
puisque since, as, because
puissant –e powerful
puisse *see* **pouvoir**
pulluler to swarm, multiply
purger [ge *before* **a** *and* **o**] to purge, clear
pyrèthre *m.* feverfew

Q

qualité *f.* quality
quand when
quant à as for
quantité *f.* quantity
quart *m.* quarter
quatre four
quatre-vingt-dix-sept ninety-seven
quatrième fourth
que which, whom, that; how; when; as; till; how many;

ne . . . — only; — **de** how many; **aussi** . . . — as . . . as
quel –**le** what (a)
quelque some, any, few; — **chose** something
quelquefois sometimes
quelqu'un –**e** [*pl.* **quelques-uns, quelques-unes**] some; somebody
†**quenouille** *f.* spindle
querelleur, querelleuse quarrelsome
querelleur *m.* quarreler, battler, bully
quérir to bring
question *f.* question
queue *f.* tail, brush; base
qui who, which, that, who
quinzaine *f.* about fifteen
quinze fifteen
quitter to leave
quoi what, which; **de** — with which, wherewith

R

race *f.* race
racine *f.* root
raconter (**sur**) to tell (about *or* of)
radicalement completely
radieux, radieuse radiant
raffiner to refine; split hairs; **se** — to improve
raide stiff, rigid
raidir to stiffen
rainure *f.* groove
raisin *m.* grape
raison *f.* reason; reasonableness; **avoir** — to be right
raisonner to think, reason, reason about
ramassé –**e** chubby, thickset
ramasser to gather, pick up
ramasseur *m.* gatherer, picker
rameau [*pl.* –**x**] *m.* branch
ramée *f.* green arbor, branches, brush
ramener [**mè** *before mute syll.*] to bring back
ramification *f.* ramification
ramolli –**e** softened
ramoneur *m.* chimney sweep
ramper to crawl
rangé –**e** arranged
rangée *f.* row; array
râpe *f.* file
râpé –**e** worn, frayed; eaten
râper to rasp, file
rapide rapid
rapidement rapidly
rapidité *f.* rapidity
rappeler [**ll** *before mute syll.*] (**de**) to remind (of), recall; **se** — (**de**) to remember, recall
rapport (**avec**) *m.* report, relation; comparison; **avoir** — **à** to have to do with; **par** — **à** in comparison with
rapporter to return, carry
rapproché –**e** (**de**) near

se rapprocher de to approach; meet
rare scarce, rare; scant, few
rarement seldom
raser to shave
rassembler *and* **se —** to gather
rassuré -e reassured
rat *m.* rat
ration *f.* ration
rationnel -le rational
ratisser to scrape
ravage *m.* harm, damage
ravager to ravage
ravageur *m.* destroyer, damager, marauder, pest
rave *f.* turnip
ravir to carry away; fill
ravissant -e ravishing, delightful
rayé -e streaked, lined
rayon *m.* ray, flash
rayure *f.* stripe
réaliser to understand, realize; **se —** to be realized, come true
réalité *f.* reality
rébarbatif, rébarbative repulsive, forbidding
rebrousser to retrace; **— chemin** to go back, return
rebuter to reject
receler [cè *before mute syll.*] to receive; hide
recevoir to receive
rechange *m.* transformation
réchaud *m.* heater

recherche *f.* research, search
rechercher to hunt for
récit *m.* narrative, story
réciter to recite
réclamer to reclaim; require, demand
recoin *m.* corner, nook
récolte *f.* crop, harvest; **faire la —** to gather, harvest
recommander to tell
recommencer [ç *before* a *and* o] to begin again
récompense *f.* reward
reconnaissable easily recognized
reconnaissance *f.* gratitude
reconnaître to recognize, notice; **se —** to identify, tell which is which; be identified
recourir to have recourse
recours *m.* recourse
recouvert -e covered
recouvrir to cover
reçu *see* **recevoir**
†**recueilli -e** gathered; retired
†**recueillir** to gather, collect
reculer to retreat, go back
reculons: à — backward
redoutable dreaded, dread
redouter to fear
réduire to reduce, force; **se —** to be reduced
réduit -e reduced
réellement really
refermer to close again; **se —** to close

VOCABULARY

réfléchir (à) to think (of)
reflet *m.* reflection
réflexion *f.* thought
réfugié –e hidden
refuser to refuse
régaler to regale, feed
regard *m.* look, glance; eye; *pl.* sight
regarder (à) to look (at), see; regard, consider; concern
règle *f.* rule; **en** — systematically, systematic
règlement *m.* rule, regulation
régler [rè *before mute syll.*] to regulate
regretter to regret
régulièrement regularly, invariably
rejeter [tt *before mute syll.*] to toss, throw, throw away
se rejoindre to meet
réjouir to delight
relâche *m.* intermission, ceasing
relever [lè *before mute syll.*] to raise, elevate, lift
relief *m.* outline
reluire to gleam
reluisant –e resplendent, shining
remarquable noteworthy
remarquer to notice, observe, say
rembourrer to stuff
remède *m.* aid; remedy
remettre to put back, put, return; change

remis –e returned
remonter to mount, surmount, go back up, wind
remplacer [ç *before* a *and* o] (**par**) to replace
rempli –e (**de**) full (of), filled (with)
remplir to fill; fulfill, perform; **se** — to be filled; — **le rôle** to play a part
remué –e stirred, touched
remuer to move, stir
rencontrer to meet, find; guess, hit, hit upon; **se** — to meet, be, be found
se rendormir to go to sleep again
rendre to give back, render, make, return; do; take; surrender, restore
renfermer to pen up; contain, hold
renoncer [ç *before* a *and* o] (à) to abandon, give up, stop
renouveler to renew; repeat
†**renseigner** to inform
rentrant –e turning in
rentrer to go back, reënter; draw in
répandre to spread; **se** — **en** to spread oneself in, launch into, spread, give oneself up to; **se** — **sur** to find places in, cover
répandu –e spread, scattered
reparaître to reappear

répartir to distribute
repasser to repass
répété –e repeated
répéter [pè *before mute syll.*] to repeat, tell; **se —** to be repeated
repli *m.* fold
replié –e folded
replier to fold
répondre to reply; assure; correspond
réponse *f.* answer
repos *m.* rest
repoussant –e repulsive
repoussé –e cast off, rejected
reprendre to resume, take, continue; take back, recover, regain; reassume; reply
représenté –e represented
représenter to represent; picture
réprimande *f.* reproof, rebuke; **faire —** à to rebuke
reprise *f.* repair, patch; time; **à plusieurs —s** several times
reprit *see* **reprendre**
reprocher to reproach
†**répugnant** –e repulsive
†**répugner à** to be repugnant to
réquisitoire *m.* prosecutor's speech, arraignment
réseau [*pl.* –x] *m.* network
réserve *f.* reserve
réserver to set aside, reserve
résidu *m.* remnant
résistant –e tough

résister (à) to resist; stand, endure
respecté –e respected
respecter to respect
respectif, respective respective
respiratoire respiratory
respirer to breathe
ressemblance (**avec**) *f.* resemblance (to)
ressembler (**à**) to be like, resemble
ressortir to stand out, be in contrast, contrast
ressource *f.* resource
reste *m.* rest, remainder; **du —** besides, otherwise, then, after that
rester to stay, remain, be left, have
résultat *m.* result
résulter to result, occur
résumé –e (**de**) summed up; condensed; embodied, comprised
résumer to review
retenir to hold back, keep back, hold in place, retain; remember; suppress
retenu –e held
retiendrai *see* **retenir**
retiré –e withdrawn, retired
retirer to extract; **se —** to retire, withdraw, go
retour *m.* return; **en — de** in return for; **de —** on the way back, back

VOCABULARY

retourner to go back; turn again, stir
retraite *f.* retreat
retrouver to find (again), rediscover; understand; **se —** to be; find one another again; keep things straight
réunir to reunite, pile up
réussir (à) to succeed (in)
rêve *m.* dream
revenir to come back, recur; **en —** to revert
revêtir to clothe
revêtu –e (de) clothed (in); covered (with)
revint *see* **revenir**
revoir to see again
rhynchite *m.* rhynchite
riche rich
richesse *f.* wealth; richness; *pl.* riches
ride *f.* wrinkle
se rider to become wrinkled
ridicule ridiculous
rien *m.* anything, nothing; no time at all; **ne ... —** nothing; **ne — que** only a thing; **— que** merely; **de —** insignificant
rigide rigid, stiff
rigueur *f.* rigor, severity
rire *m.* laugh, laughter
rire (de) to laugh (at)
risque [*sometimes pl.*] *m.* risk
rival [*pl.* **rivaux**] *m.* rival
rivaliser avec to rival; contend *or* compete with

robuste sturdy
roi *m.* king
rôle *m.* part; **remplir de —** to play a part
rompre to break
ronce *f.* briar
rond *m.* ring, circle
rond –e round; **nombre —** round numbers
ronde *f.* round; **à la —** round about
ronfler to snore; rumble, roar; hum, buzz
rongé –e gnawed
ronger [ge *before* a *and* o] to gnaw, eat
rose pink
rose *m.* pink (color)
rose *f.* rose
roseau [*pl.* **-x**] *m.* reed
rosée *f.* dew
rosier *m.* rosebush
rôtir to roast, scorch
rouge red
rouge *m.* red (color)
rougeâtre [*first* e *silent*] reddish
†rouille *f.* rust
roulé –e coiled
rouleau [*pl.* **-x**] *m.* roll
roulement *m.* roll
rouler to roll
rouleur *m.* roller
route *f.* way; road; journey; **en —** on the way
roux, rousse reddish
roux *m.* red, tan, tawny color

royal –e royal
royaume *m.* kingdom
rude hard, coarse
rue *f.* street, road
rugueux, rugueuse [*second* u *silent*] rough, wrinkled
ruiné –e ruined
ruse *f.* ruse, device
rusé –e cunning; wily
Russe *m.* Russian

S

sable *m.* sand
sac *m.* sack
saccager [ge *before* a *and* o] to ransack; pillage; injure, destroy
sage good
sain, saine sound; healthy
saisir to seize, take, catch
saison *f.* season
sait *see* savoir
salade *f.* (head of) lettuce
salé –e salt(y)
salive *f.* saliva
sang *m.* blood
sans without
sans-façon *m.* inattention, carelessness
santé *f.* health, vigor
sarcler to weed
Sarthe *f.* Sarthe (*a department of France*)
satin *m.* satin
satisfaire to satisfy
satisfait –e satisfied

saule *m.* willow
saura *see* savoir
sauterelle *f.* grasshopper
sauvegarder to safeguard
sauver to save
savant *m.* scientist, expert, scholar
savant –e abstruse, complicated, difficult, learned
saveur *f.* flavor
savoir to know, know how; — gré à to be grateful to; en — plus long to know more, be better informed
savoir *m.* knowledge
savoir-faire *m.* sense, common sense
savon *m.* soap; eau de — soapsuds
savoureux, savoureuse agreeable to the taste
scarabée *m.* beetle
sciage *m.* sawing
scie *f.* saw
science *f.* science
scier to saw
sciure *f.* (saw)dust
scolyte *m.* scolyte, bark beetle
scrupuleusement carefully
scrupuleux, scrupuleuse painstaking, conscientious
sculpté –e [p *silent*] marked
se himself, herself, itself; one another, each other
séance *f.* session; — tenante then and there, forthwith

VOCABULARY

seau [*pl.* -x] *m.* bucket
sec, sèche dry, clean, clear, sharp, clean-cut; clearly outlined; **coup** — sharp blow
sécher [sè *before mute syll.*] to dry
sécheresse *f.* dryness, drought
second [c *like* gh] -e second
secouer to shake
secours *m.* aid
secret *m.* secret
secret, secrète secret
seigle *m.* rye
Seine-Inférieure *f.* Lower Seine
séjour *m.* retreat, resort; stay, sojourn
semaine *f.* week
semblable (à) like, similar (to)
sembler to seem, look; **que vous en semble?** what do you think of it?
semé -e strewn, sprinkled
semer [sè *before mute syll.*] to sow
semis *m.* sowing, (garden) bed
semonce *f.* rebuke
sens *m.* sense; direction
senteur *f.* scent, fragrance
sentir to feel, smell; perceive; **se** — to feel, smell
séparation *f.* separation
séparer to separate
sept [p *silent*] seven
sequin *m.* sequin (*gold coin*)
sera *see* **être**
serait *see* **être**

série *f.* series
sérieusement seriously
sérieux, sérieuse serious
serpette *f.* pruning knife
serré -e crowded
serrure *f.* lock
sert *see* **servir**
service *m.* service; **rendre un** — to do a service
servir (à) to serve, act; pay; help; **se** — **de** to use; — **de** to serve as; **ne vous servez pas?** you are not using?
serviteur *m.* servant
ses *see* **son**
seul -e alone, only, single; **tout** — by itself, naturally, without assistance
seulement only; not till
sève *f.* sap
si if; whether; so; yes
sien -ne his, hers, its own
siffler to whistle
†**signal** [*pl.* signaux] *m.* signal
†**signalement** *m.* description
†**signe** *m.* sign
†**signification** *f.* meaning
†**signifier** to mean
†**sillon** *m.* furrow
similitude *f.* resemblance
Simon *m.* Simon
simple simple
simplement simply
sincérité *f.* seriousness
singulier, singulière peculiar
sinon if not, otherwise

situé -e located
six six
sobre abstemious, moderate; not voracious
sœur *f.* sister
soi himself, herself, itself
soie *f.* silk; **à —** silk
soient *see* être
†**soigner** to take care of
†**soigneusement** carefully
soin *m.* care; *pl.* care
soir *m.* evening
soit very well, agreed; **— . . . —** whether . . . or
soixante-quatrième sixty-fourth
sol *m.* ground
†**soleil** *m.* sun; sunlight
solennel -le impressive, solemn
solennité *f.* solemnity, pompousness
solide solid
solidement solidly, firmly
solitude *f.* solitude, lonesomeness
somme *f.* sum
†**sommeil** *m.* sleep; **avoir —** to be sleepy
sommité *f.* tip, end
somptueux, somptueuse sumptuous
somptuosité *f.* sumptuousness, richness
son, sa, ses, its, his, hers
son *m.* sound; husk, shell; bran
songer [ge *before* a *and* o] (à) to think (of), dream (of), long (for)
sordide lowly
sort *m.* fate
sorte *f.* sort; **de — que** so that; **en quelque —** as it were; **de la —** thus
sortie *f.* departure, going out
sortir to leave, get out, go out, come out, appear; take out
sortir *m.* emerging, coming, leaving
sottise *f.* foolish thing, folly
sou [*pl.* **sous**] *m.* sou, cent
souche *f.* stalk; beginning
souffler to blow, breathe, pant, puff, puff out
soufflet *m.* bellows
souffrant -e ailing
souffreteux, souffreteuse suffering, ailing
souffrir to suffer, feel bad
soufre *m.* sulphur
soufré -e filled with sulphur, sulphur
soufrer to treat with sulphur
souhaiter to desire; **à —** desirable
†**souiller** to defile, pollute
soulever [lè *before mute syll.*] to raise
soumettre to submit, subject
soupçonner to suspect
souple pliant
souplesse *f.* pliancy
souricière *f.* mousetrap

sourire (de) to smile (at)
souris *f.* mouse
sous under, to
soutenir to support, carry
souterrain –e subterranean
souvenir *m.* memory, recollection
se souvenir (de) (*sometimes impersonal*) to remember
souvent often
soyeux, soyeuse silky
spécial –e special
spirale *m.* spiral
splendide brilliant
structure *f.* structure
stupeur *f.* stupor
stupidement stupidly
su *see* **savoir**
subdiviser to divide again; **se — ** to be subdivided
subir (à) to undergo; subject to
sublime sublime
substance *f.* substance
suc *m.* sap, juice
successeur *m.* successor, descendant
sucer [**ç** *before* **a** *and* **o**] to extract, suck, drain
succès *m.* success
succomber to die
suçoir *m.* sucker; trunk
sucre *m.* sugar
sucré –e sugary, sweet
Suédois *m.* Swede
suffire (à) to be enough (for), suffice, require

suffisamment enough, sufficiently
suffisant –e enough, large enough
suffocant –e suffocating
suffoqué –e choked
suie *f.* soot
suinter to exude, flow
suit *see* **suivre**
suite *f.* following, sequence; continuation, continued; **tout de —** at once; **ainsi de —** so on, so forth
suivant –e following; according to
suivre to follow
sujet *m.* subject; **au — de** in the matter of, about
sulfure de carbone *m.* carbon bisulphide, carbon disulphide
sulfureux, sulfureuse sulphurous
superbe magnificent
superficie *f.* area
superficiel –le superficial
supérieur –e superior, upper
support *m.* support
supposer to suppose
suprême supreme
sûr –e sure, safe
sur on, upon, at; about, of, to, against, over, from
sûreté *f.* safety
surface *f.* surface
surnager [**ge** *before* **a** *and* **o**] to float

surprendre to surprise
surpris *see* **surprendre**
surtout above all, especially
†**surveillance** *f.* watchfulness, supervision
†**surveiller** to look after, watch over
survenir to arrive
suspendu –e hung, suspended
sustenter to sustain
syrphe *m.* syrphus (fly)

T

tabac *m.* tobacco
table *f.* table
tableau [*pl.* –x] *m.* table
tache *f.* spot
tâcher to try
†**taille** *f.* size; figure
†**taillé** –e shaped
†**tailler** to shape; prune, trim
†**tailleur** *m.* tailor
talon *m.* heel
tambour *m.* drum
tampon *m.* wad, plug
tamponner to stop up, plug, obstruct
tandis que while
tant so, so much, so many; — ... **que** as long as, as well as
tantôt sometimes
taper to beat, strike
tapis *m.* carpet
tard late
tarder to delay; **ne — pas à** immediately (to); **il me — de** I wish to
tas *m.* heap
taupe *f.* mole
†**taupe-grillon** *m.* mole cricket
†**teigne** *f.* moth
teint *m.* color
teinte *f.* color
teinté –e colored, tinged
tel, telle such (a); **— quel** as it is
témoin *m.* witness
température *f.* temperature, heat
temps *m.* time, season; weather; **de tout —** always; **dans le —** once; **de — à autre** from time to time
†**tenaille** *f.* pincer
tenant –e holding; **séance —e** then and there
tendant *see* **tendre**
tendre to stretch (out), hold out
tendre tender, delicate; early
tendu –e stretched
tenir to hold; lie; **se —** to sit, perch, stay; **— lieu de** to take the place of; **— compte de** to take account of; **— tête à** to resist, hold at bay, withstand; undergo; **se — sur** to feed on
tenu –e kept
térébrinthine *f.* turpentine
terme *m.* term, word, name
terminé –e ending, ended

VOCABULARY

terminer *and* **se —** (**par**) to end (in)
terne dull
terrain *m.* land
terre *f.* earth; dirt; **à —** on the ground
terreau *m.* mold, humus
terreur *f.* terror
terrible terrible
terrifié –e frightened
territoire *m.* region; jurisdiction
tête *f.* head; **tenir — à** to resist, make headway against
théorie *f.* theory
tiens well!
tient *see* **tenir**
tige *f.* stem, stalk
tigré –e marked, speckled
†**tirailler** to pull
tirer to pull; extricate, help out; **se — d'affaire** to take care of oneself, escape, get out of trouble
tissu *m.* fabric, web
toc *intj.* rap
toile *f.* web, cloth
toilette *f.* toilet; gown; attire
toison *f.* fleece
toit *m.* roof
tomber to fall
tondre to shear
tondu –e shorn
tonneau [*pl.* –**x**] *m.* barrel
torche *f.* torch
tort *m.* wrong, harm

tortueux, tortueuse winding
tôt soon; **au plus —** as soon as possible
total *m.* total
total –e total
toucher (**à**) to touch, feel; affect
toujours always, ever
toupie *f.* top
tour *m.* turn; **— de main** twist of the wrist, instant
tourner to turn, whirl; change
tousser to cough
tout, toute all, every, any; quite; **— au plus** at the very most; **du —** at all
toutefois yet, however, still, nevertheless, at all
trace *f.* trace
tracer [**ç** *before* **a** *and* **o**] to trace
traduire to translate; betray
trahir to betray; manifest
traîner to drag
traitement *m.* treatment
traiter to treat
trajet *m.* distance, space
trame *f.* woof, thread
tranchant *m.* cutting edge, edge
tranche *f.* edge
trancher to cut
tranquille quiet, calm, placid
tranquillité *f.* quiet
transfiguration *f.* change
transfigurer to alter, change, make over

transformation *f.* change
transformé –e changed
transformer to change
transparent –e transparent
transpercer [ç *before* a *and* o] to impale
transplanter to transplant
transport *m.* transportation; access; outburst
transporter to carry
trappe *f.* door, trapdoor
†**travail** [*pl.* **travaux**] *m.* work, task, toil
travaillé –e worked; eaten, cut
†**travailler** to work, stir, make
travers *m.* passage; thickness; à — through, across; **en** — crosswise; **en — de** across
traverser to go through, cross, pass through
tremblant –e shaking; shaky, uncertain
trembloter to quiver
trémoussement *m.* pull, jerk
trentaine *f.* thirty or so
très very
tribu *f.* tribe
trier to choose
triomphant –e jubilant; proud; fierce
triple triple
triste sad
trois three
troisième third
trompe *f.* trunk, proboscis

tromper to deceive; **se —** to be mistaken, make a mistake
tronc *m.* trunk
tronçon *m.* truncate; **— de pain** loaf
tronquer to cut off
trop (de) too, too much
trotter to run
trottiner to struggle; jog
trou [*pl.* **trous**] *m.* hole
troublé –e disturbed
troubler to disturb
trouer to pierce, make holes in
†**trouvaille** *f.* discovery, find
trouver to find, find in; **se —** to be found
tu you
tuer to kill
tuile *f.* tile
turc *m.* grub

U

un, une a, an, one, some; **l'— et l'autre** both
unanimité *f.* harmony; **à l'—** unanimously
unique only
uniquement only
universel –le universal, all-embracing
usage *m.* use; usage; **dans l'—** customary
user to use up
usité –e used
utile useful
utilité *f.* use, usefulness

V

va *see* **aller**
vacances *f. pl.* vacation, holiday
vache *f.* cow
vagabonder to wander
vaguement vaguely
†**vaillamment** valiantly
vain –e vain; **en** — to no purpose
vaincre to conquer
vaincu –e conquered
vais *see* **aller**
valeur *f.* value; significance
valoir to be worth; produce, call forth; gain, save; — **mieux** to be better; — **la peine** to be worth while
vané –e winnowed
vapeur *f.* steam
varier to vary
vase *f.* mud
vase *m.* jar
vaudrait, vaut *see* **valoir**
vécu(t) *see* **vivre**
végétal –e vegetable
végétal [*pl.* **végétaux**] *m.* plant
végétation *f.* vegetation
†**veille** *f.* day before
†**veillée** *f.* evening session
†**veiller (à)** to watch, look after; be careful; — **sur** to look after
veine *f.* vein
velours *m.* velvet

velu –e shaggy, rough
vendre to sell
venin *m.* poison
venir to come; grow, grow up, thrive; — **de** to have just; — **à bien** to mature, go on successfully; — **en aide à** to help
vent *m.* wind
ventre *m.* stomach, body; **faire** — **de** to bulge with, be gorged with
ventru –e heavy-bodied
venu *see* **venir**
ver *m.* worm
verdure *f.* verdure, vegetation
véritable real
véritablement actually
vérité *f.* truth
vermine *f.* vermin
vermisseau [*pl.* –**x**] *m.* worm, grub
vermoulu –e worm-eaten, decaying
vermoulure *f.* worm dust
verrai *see* **voir**
verre *m.* glass
verrez, verrons *see* **voir**
verrue *f.* wart
vers toward
verser to pour
vert –e green; vigorous
vert *m.* green (color)
veut *see* **vouloir**
vide empty
vider to empty

vie *f.* life
†vieille(s) *see* vieux
†vieillesse *f.* old age
vienne *see* venir
viennent, vient *see* venir
†vieux (vieil), vieille old
vif, vive live, lively; alive; quick; vivid, sharp; **chaux vive** quicklime
†vigne *f.* vine, vineyard
†vignoble *m.* vineyard
vigoureux, vigoureuse vigorous
vigueur [*first* u *silent*] *f.* vigor
vilain –e ugly
village *m.* village
ville *f.* city
vingt twenty
vingtaine *f.* twenty or so, score
vint *see* venir
violet *m.* violet
virant –e changing, turning, veering
vis *see* vivre
visite *f.* visit, visitation
visiter to visit
visqueux, visqueuse viscous, gummy
vit *see* vivre
vite rapidly, quick(ly); **au plus —** as rapidly as possible
viticulteur *m.* vine-grower
vivant –e living; alive
vive *see* vif
vivement vigorously
vivifiant –e life-giving
vivre [*sometimes pl.*] *m.* food

vivre to live; **faire — à** to support
vizir *m.* minister, vizier; **premier —** premier
voici here is, here are; **que —** desired
voie *f.* way, road, street; process; passage
voilà there is, there are, that's; so much, that's enough
voir to see, look at; **se —** to be visible; **y — pour** to manage, contrive to
voisin *m.* neighbor
voisin, voisine adjoining
voisinage *m.* vicinity; **au — de** near
voisine *f.* neighbor
voiturer to haul, draw
voix *f.* voice; vote; **à haute —** aloud
vol *m.* flight
voler to fly; steal, rob
volet *m.* shutter, blind
voleter to flit
voleur *m.* robber
volonté *f.* will
volontiers willingly
voltiger [ge *before* a *and* o] to flutter
vorace voracious, greedy
vouloir to wish; **— dire** to mean; **en — à** to bear a grudge against, dislike; **en — de** to regret, begrudge
voulu –e desired

voun *intj.* buzz
vous you, to you, *etc.*
voyager [ge *before* **a** *and* **o**] to travel
voyageur *m.* traveler
voyageur, voyageuse traveling
voyez *see* **voir**
vrai –e true
†**vrille** *f.* gimlet; tendril
vue *f.* view; vision; opinion; eyesight; **à — de l'œil** apparently, visibly, perceptibly
vulgaire common
vulgairement in popular language

Y

y there; **il — a** there is, there are; ago
yeux *pl. of* **œil**

Z

zeuzère *f.* wood leopard moth

BY THE SAME EDITOR

CARNET DE CAMPAGNE D'UN OFFICIER FRANÇAIS. Par le Lieut. René Nicolas de l'Armée Française. Edited with Notes, Exercises, Verb List, and Vocabulary by Edward Manley, Englewood High School, Chicago.

This field notebook of a French officer, really his diary, is a piece of genuine literature, and in this edition has held its place in the classroom as no other book that came out of the war has done.

The story is projected against a great action. The climax is itself a great action, vividly and dramatically portrayed. But the dominant impression is of the fine-spirited personality of the writer.

"It may be that Lieutenant Nicolas was unconscious of any attempt at literature, but if the gift of painting in words pictures which, to the vision of the reader, take on form, color, action—then his book may be classed as good literature."—*Miss E. M. LeVin, University of Omaha.*

"It is rare that one finds so many splendid qualities embodied in one text—an everyday vocabulary, a most sympathetic and interesting account of recent events, composition exercises which are really useful, and attractive illustrations."—*Elizabeth Bartley, High School, Danbury, Conn.*

"I read the book in two readings, and the thought that was most in my mind when I had finished was, that I would like very much to talk with Nicolas personally: the book is so very human. As a class text I would recommend it for its modernity; its colloquial, say, casual expression; its picturesque language; its humor; its exercises. Such a text cannot fail to be interesting."—*Glenn M. Kelly, High School, Alexandria Bay, N. Y.*

"Carnet de Campagne is proving very satisfactory. The experiences and emotions of the French officer at the front are told in a vivid but very pleasing manner, giving evidence of a delightful personality in the writer and the pupils seem thoroughly interested in his diary. In addition, the verb drills and composition exercises given in the back are very helpful and practical. I am much pleased with the book."—*Ada L. Cress, Lincoln High School, Portland, Ore.*

BENJ. H. SANBORN & CO.
CHICAGO   NEW YORK   BOSTON

THE FIRST TWO YEARS OF FRENCH. By the late Henri Micoleau, of Brown University, and Harriet McLellan, of the Wayneflete School, Portland, Maine.

The guiding principle of this book is the use of sentence patterns. Vocabulary and grammar of each lesson are immediately set to work, in a series of sentences of a certain type. The student in reciting is saying something in idiomatic French and has the special type of sentence so impressed upon him that he can thereafter say other things of like nature. Vocabulary and grammar rules thus become articulate and alive.

In each lesson a basic text illustrates the points of grammar to be taken up in connection with the new sentence type. These points are then formulated in consecutively numbered rules printed in a column alongside the text. The starting point, therefore, as also the objective of each lesson, is actual, living French.

Part II brings together in compact form for review and reference the verb lessons that are taken up in course with the lessons proper, and Part III similarly prints together the rules already given.

There is a phonetic introduction, and in the French-English vocabulary the headwords are respelled phonetically.

The Micoleau-McLellan First Two Years of French furnishes a complete course, with an easy approach, steady progress, and a living interest in the language throughout.

BENJ. H. SANBORN & CO.
CHICAGO   NEW YORK   BOSTON

LE FRANÇAIS ET SA PATRIE. By L. RAYMOND
TALBOT, formerly Assistant Professor of Romance
Languages, Boston University.

Paris and France just before the war as seen by two young Americans. In lively conversations and sprightly letters they discuss the sights, the life and customs, the institutions, etc., making them all real for the student. French meals are discussed, transportation facilities, theatres, postal services, Sunday observance, buying books, and so on. Among places visited and described— not in guide-book style, but in a lively, interesting fashion —are the Cathedral of Notre-Dame, the Champs-Élysées, the Bois de Boulogne, the Panthéon, the Seine, the quays, and the boulevards, as well as Versailles, St. Denis, Chartres, Fontainebleau, Normandy, Brittany, and the Provence. The first part contains also a narrative account of French government and another of the geography of France, two subjects which the student is glad to have in convenient form.

Le Français et Sa Patrie has scored an immense success as a reader of French *realia*, a success due not only to the author's experience and knowledge, but especially to his happy way of dramatizing them. The book has passed through numerous editions, and has been used in thousands of schools in this country.

The book includes sixteen favorite poems and six favorite songs with music, has twenty-six half-tones, mostly full-page, and two sketch maps, and is supplied with explanatory notes and a vocabulary.

BENJ. H. SANBORN & CO.
CHICAGO   NEW YORK   BOSTON

FRENCH COMPOSITION. By L. Raymond Talbot, formerly Associate Professor of Romance Languages, Boston University.

A high school principal has said that he had been looking fifteen years for a book like this.

Here are the drills, grammar review, and practice that constitute the primary aim of such a book. But they are presented with a continuity of interest which relieves both teacher and pupil of half the drudgery.

The lessons are based upon the experiences of two American students in Paris, little adventures in living in a novel environment. Under each head there comes first a group of sentences, A, providing definite practice of certain forms and constructions; these are not grouped mechanically, but run along after the manner of easy though somewhat desultory conversation. Sections B and C are in connected discourse of two grades of difficulty.

Talbot's French Composition is a book that will enliven and enrich the elementary instruction in French.

A Key for Teachers is provided in a separate volume.

BENJ. H. SANBORN & CO.

CHICAGO NEW YORK BOSTON

LA FRANCE NOUVELLE. By L. RAYMOND TALBOT, formerly Associate Professor of Romance Languages in Boston University.

Walks and talks that show us Paris and France as seen by a close and sympathetic observer a few years after the close of the war. Though much of the book deals with reconstruction, most of it touches upon fundamentals in French life and institutions. The conversations and letters that make up the text are full of charm and interest. The style is so simple and direct that the book may be used as a reader early in the course. France really lives in the thoughts of the student who reads this book.

Illustrated with eighty-two half-tones and a sketch-map. The illustrations are chiefly snapshots taken by the author in his travels. They are excellent and enhance both the charm and the actuality of the text.

There are also nine chansons with music, notes, exercises, and a vocabulary.

BENJ. H. SANBORN & CO.
CHICAGO NEW YORK BOSTON

RACINE'S MITHRIDATE. Edited by LEO RICH LEWIS, Associate Professor of Modern Languages in Tufts College.

The first school edition in English of a play that is peculiarly suitable for introducing American students to Racine and the classic drama. The volume serves also as an introduction to comparative literature and comparative criticism.

The introduction includes, besides biographical material and general discussion, a number of selections from French and English critics, and a remarkably clear and helpful presentation of French versification.

The notes are designed to stimulate the student's literary appreciation.

The illustrations are authentic reproductions of old engravings illustrative of the history of the French drama, with special reference to the present play.

*An unusually attractive
little volume.*

BENJ. H. SANBORN & CO.
CHICAGO   NEW YORK   BOSTON